O ESPETÁCULO DA CORRUPÇÃO

WALFRIDO WARDE

O ESPETÁCULO DA CORRUPÇÃO

COMO UM SISTEMA CORRUPTO E O MODO DE COMBATÊ-LO ESTÃO DESTRUINDO O PAÍS

LeYa

Direção editorial: Martha Ribas
Editor executivo: Rodrigo de Almeida
Gerência de produção: Maria Cristina Antonio Jeronimo
Produção editorial: Guilherme Vieira
Preparação: Maria Clara Antonio Jeronimo
Diagramação: Filigrana
Revisão: Bárbara Anaissi
Capa e projeto gráfico: Leandro Liporage
Fotos de capa: R.M. Nunes / Shutterstock.com

Dados Internacionais de Catalogação na Publicação (CIP)
Angélica Ilacqua CRB-8/7057

Warde, Walfrido

O espetáculo da corrupção: como um sistema corrupto e o modo de combatê-lo estão destruindo o país / Walfrido Warde. – Rio de Janeiro: LeYa, 2018.
144 p.

ISBN 978-85-441-0766-9

1. Corrupção na política – Brasil – Crítica. 2. Política e governo – Brasil. 3. Ciências sociais. I. Título.

18-1719 CDD 364.1

Índices para catálogo sistemático:
1. Brasil : Sistema de combate à corrupção : Críticas

Todos os direitos reservados à
EDITORA CASA DA PALAVRA
Avenida Calógeras, 6 | sala 701
20030-070 – Rio de Janeiro – RJ
www.leya.com.br

Às mulheres e aos homens do Brasil, que dedicam suas vidas ao combate à corrupção.

SUMÁRIO

PRA COMEÇO DE CONVERSA

Este livro expressa críticas ao modo como combatemos a corrupção no Brasil. Não é apologia à corrupção, como dirão alguns, ofendidos pelas críticas. Não é escudo para corruptos, que desejam se safar pelo lapso dos seus algozes, ainda que se diga que a crítica lhes servirá (aos corruptos), como se a ausência de crítica fortalecesse mais as boas ideias e as boas ações do que o seu necessário aperfeiçoamento.

Aqueles que dedicam suas vidas a combater a corrupção, por convicção e por senso de dever, ficarão gratos pelo reforço que este livro propõe, a despeito da inevitável falibilidade do autor. Na guerra, todo o engenho capaz de avançar a vitória é benfazejo, a não ser para aqueles que pretendem a guerra pela guerra, uma inflamação amiga, uma verruga companheira. E é por isso que este livro arregimentará uma legião de detratores, de falsos missionários, de soldados da fortuna e da glória, para os quais o combate à corrupção é um negócio, talvez uma técnica de demolição de economias nacionais e de desestabilização política, uma estratégia concorrencial, um meio, jamais um fim. Esses são tão nocivos, ou mais – na hipótese em que deem causa aos defeitos que aqui descrevo –, do que os corruptos que combatem.

Este livro não é um ataque a policiais, auditores, promotores, juízes e outros membros e instituições da burocracia de controle estatal envolvidos direta ou indiretamente no combate à corrupção. Tampouco ao legislador e ao Poder Executivo. Eles não são culpados isoladamente pelos defeitos devastadores da política e das estruturas de combate à corrupção no país. Não seriam, por si, capazes de produzi-los, ainda que alguns possam deles se aproveitar para fins outros – que não o combate à corrupção.

Ao contrário, este livro denuncia a falta de planejamento, que dá causa a uma automutilação desnecessária e oligofrênica. Exige a concepção de uma política nacional de combate à corrupção. Uma política que articule os órgãos e os agentes públicos envolvidos, que sincronize as suas ações, que dê fim a uma disputa vergonhosa e paralisante por protagonismo. Uma política que coíba a espetacularização e, ao mesmo tempo, a banalização da corrupção e do seu combate. Uma política que se afaste do moralismo barato e alienado, que seja capaz de distinguir e de separar o que tem utilidade daquilo que não presta, e que prefira o pleno ressarcimento dos cofres públicos à vingança. Uma política que zele, acima de tudo, por interesses nacionais claros, que se estabeleçam como paradigmas, para identificar e punir excessos e transgressões do próprio Estado. Uma política que respeite e reforce as garantias constitucionais, sobretudo a ampla defesa e a presunção de inocência.

Nós não precisamos destruir o capitalismo e as empresas brasileiras para combater a corrupção. Nós não precisamos alvejar de morte as empresas para coibir maus empresários. Nós não devemos destruir a política para dela extirpar os maus políticos, porque não há caminhos fora da política.

Este livro é, portanto, um libelo de defesa do combate à corrupção, de um combate à corrupção que mede consequências para não danar a política, as empresas, os empregos e os mais preciosos interesses brasileiros. Sem política só restará o poder indisciplinado, selvagem e invariavelmente destruidor, exclusivo e egoísta. Sem empresas não haverá empregos. Sem empresa e sem empregos não há renda. Sem renda não é possível arrecadar tributos. E sem tributos não é possível pagar os salários das mulheres e dos homens a quem dedico este livro, daqueles membros da referida burocracia de controle estatal, o nosso exército de combate à corrupção. Isso é absolutamente óbvio, mas nós temos dificuldade para reconhecer as obviedades.

A corrupção é uma das mais importantes causas da desigualdade. A ausência de um combate adequado à corrupção aprofunda as desigualdades intoleráveis e odiosas do nosso país, assim como também o faz, talvez ainda mais, um combate inconsequente à corrupção. E é por isso que uma crítica contra o combate brasileiro à corrupção pressupõe a urdidura de soluções de aperfeiçoamento do aparato institucional anticorrupção, para que seja capaz de ultrapassar os adversos efeitos colaterais que produz.

Não será possível avançar sem um debate franco – despudoradamente desprezado, submetido a um diversionismo calculado, pelos políticos e pela imprensa livre – sobre o financiamento da política e da democracia num país de dimensões continentais como o Brasil.

Esse financiamento foi capitaneado por empresas privadas, sob a perplexidade de quem "sempre soube". Sim, o financiamento que, à luz da popularidade e das probabilidades de acesso ao poder de cada um dos candidatos, provia e organizava algumas poucas empresas privadas, agentes econômicos coordenados num verdadeiro cartel, como, por exemplo, aquele que atuava no mercado de infraestrutura, que já foi a espinha dorsal da economia brasileira. Um mercado arrasado por um combate à corrupção que não distingue empresa e empresário, na esperança de que uma amputação nos livre do problema.

Mas que ingênua presunção!

Que frouxa racionalidade nos leva a crer que, diante de uma inexplicável indisciplina – da ausência do Estado e do Direito –, o modelo corrupto – autorregulado, convencionado entre corruptos e corruptores – de financiamento de nossa combalida política não se fará substituir por outro, ainda mais abjeto?

Não será certamente o arremedo de financiamento público de campanha, essa verdadeira técnica de entrincheiramento, arquitetada nos estertores de 2017 por caciques desesperados pelo foro privilegiado, capaz de impedir que, como sempre neste país, corruptos e corruptores se encarreguem de elaborar uma modelagem marginal.

A disciplina jurídica do financiamento de campanhas eleitorais é um vaso quebrado. Rompeu com o financiamento empresarial, julgada a Ação Direta de Inconstitucionalidade 4650, mas não afastou o poder econômico do jogo político, que ainda se faz sentir por um claudicante regramento das doações de pessoas físicas. A isso se somam a insuficiência dos recursos providos por um modelo mambembe de financiamento público, a ganância de políticos insaciáveis e a expansão do crime organizado, para ajudar a corromper ao invés de depurar o sistema.

Enquanto não racionalizarmos e democratizarmos o financiamento da política, em especial o financiamento das campanhas eleitorais – mas não apenas elas –, os mais ricos – e, sobretudo, os menos escrupulosos – tratarão de fazer com que seus votos se multipliquem e valham mais do que o do cidadão comum. E, ao fazê-lo, continuarão a se apropriar dos candidatos e, em seguida, dos políticos eleitos, das instituições que comandam – como marionetes dos seus benfeitores – e de todo o Estado, para que o Estado os sirva, em detrimento de todo o povo.

Mente quem afirma que acabaremos com a corrupção por meio do encarceramento dos corruptos e dos corruptores, da demonização da política e da destruição das organizações empresariais que no entorno da corrupção gravitam. Mistifica quem usa a sua autoridade, legal ou moral, para inculcar que a repressão é suficiente e que é o todo do combate à corrupção.

Não teremos êxito se não trabalharmos sobre as causas da corrupção. E a causa imediata é a profunda indisciplina jurídica das relações entre Estado e empresa, a falta de um regramento democraticamente discutido e instituído sobre o *lobby* pré-eleitoral, que se resume no financiamento de campanha, mas também de um regramento que se ocupe das pressões inevitáveis que a sociedade civil organizada exerce sobre os governos e os agentes públicos, num contínuo *lobby* pós-eleitoral.

A busca pela prevalência de interesses egoísticos, seja no contexto do processo legislativo, seja no âmbito do processo de produção de atos administrativos (de posturas do Estado: autorizações, cominações, imposições de penas etc.), que representam a intervenção estatal sobre a vida privada, manifesta em relações entre particulares ou em relações entre o Estado e particulares, é uma força da natureza. É força que não se pode deter e que não se deterá – como pretendem alguns, por ignorância ou por ganância – pela decretação ilusória e falaciosa da morte do Estado.

O Estado mínimo, que pouco faz senão zelar pela efetividade das trocas econômicas (quando reflexamente se ocupa de proteger apenas a vida, a liberdade e a propriedade), que recua em prol da igualdade formal dos contratos e da desigualdade material das relações econômicas (que não pode premiar senão os mais poderosos e capazes em detrimento dos ineficientes e dos despossuídos), não se estabelece sem um Estado tentacular, de musculatura hipertrófica e profundamente desprovido de inspiração solidarística.

É preciso um grande Estado para conter massas famintas, para as manter nos seus guetos, silenciosas e obedientes. E essa não é uma constatação ideológica. É compreensível, expurgada qualquer compaixão, que os economicamente úteis não desejem gastar um tostão sequer para prover aos economicamente inúteis. Mas essa população de excluídos, que cresce a cada dia e que ameaça alcançar fronteiras impensáveis, não pode, sob qualquer racionalidade, desejar um Estado que não a assista. Numa democracia, que pressupõe um governo do povo, o interesse de ser assistido deve concorrer com o interesse de não assistir.

Esse Estado falsamente mínimo é, portanto, aquele em que terá triunfado o *lobby* dos economicamente úteis, o que não deverá ser preferido, sem que se dê a outros setores da sociedade civil uma chance de concorrer pela prevalência dos seus interesses. Obliterar o embate de interesses dos economicamente úteis contra os economicamente inúteis ou tratá-lo como escaramuça, que traveste o verdadeiro e grandioso confronto num problema técnico (que opõe apenas os distintos meios à maximização da felicidade geral, sem descarnar incompatibilidades entre as várias felicidades possíveis), ameaçará esvanecer qualquer laivo de esperança democrática entre nós.

Nós devemos, antes de escolher caminhos definitivos por meio de regras e de modelos decisórios injustos, pavimentar um *lobby* pós-eleitoral franco, claramente regulado e lícito, no qual concorrem, organizados, os mais diversos setores da sociedade civil, dentre eles todos os setores empresariais, mas também os consumidores, os operários, os camponeses, os profissionais liberais, os despossuídos e marginalizados, os pais e mestres, os índios, os homossexuais, as mulheres, os negros etc.

Num país de dimensões continentais, tão heterogêneo quanto o nosso, não será possível organizar encontros, mover parlamentares por entre as várias regiões, contratar pareceres e estudos e fazer propaganda de interesses legítimos, sem dinheiro. Não nos enganemos. Vivemos sob regime de produção capitalista. Aqui, tudo custa. Tudo depende de dinheiro. Não é possível fazer política sem dinheiro. E não é desejável que o contribuinte custeie indiscriminadamente essa monstruosa máquina política. Muito menos que o façam, de maneira relevante, apenas alguns poucos empresários ou organizações criminosas.

Precisamos conceber urgentemente uma regulação do *lobby* pós-eleitoral capaz de limitar o poder econômico, impedindo que suas vastas reservas de dinheiro desequilibrem profundamente o embate entre os interesses e alimentem o poder econômico de ainda maior concentração e desigualdade. Precisamos facilitar a organização e o financiamento de todos os grupos de interesses lícitos. Precisamos profissionalizar, racionalizar e moralizar o *lobby*. Só assim atacaremos também as causas mediatas da corrupção, todas elas inexoravelmente representadas pela desigualdade social.

Este livro é, portanto, uma expressão patriótica em prol da democracia, da justiça social, da dignidade do povo brasileiro e do desenvolvimento econômico e humano do Brasil. Propõe não apenas uma crítica contra o combate brasileiro à corrupção, mas apresenta soluções para que se aperfeiçoe, de modo a ultrapassar os terríveis efeitos colaterais que produz.

O NOVELO DE ARIADNE

Há quem diga que o assassinato de Minotauro – a representação personificada do Sol, uma adaptação do Baal-Moloch dos fenícios, mais precisamente dos amorreus – marcou o rompimento das relações tributárias entre Atenas e a Creta minoica. Teseu não o teria feito sem o amor e a sagacidade de Ariadne, a filha de Minos.

Acho que o nosso novelo – o ticket de entrada e a luz no fim do túnel – são as palavras, que se desenrolam para ir ao centro do labirinto (importante) e de lá voltar (ainda mais importante), em triunfo, libertos.

O *American Heritage Dictionary* provê o fio da meada, o significado de três importantes palavras da língua inglesa: *bankrupt*, *ban* e *corrupt*.

bank·rupt (băngk'rŭpt', -rəpt)

1. *Direito*. Uma pessoa, negócio ou organização legalmente declarada insolvente em razão de sua incapacidade de pagar dívidas.

2. Uma pessoa à qual falta totalmente uma específica qualidade ou recurso: um falido intelectual.

adj.

1.

a. Que foi declarado legalmente insolvente.

b. Arruinado financeiramente, empobrecido.

2.

a. Desprovido de características ou de qualidades apreciáveis: um político falido, moral e eticamente.

b. Totalmente despossuído; destituído: estava falido de novas ideias.

c. Estar num estado de ruína: uma política externa falida.

ban (băn)

tr.v. **banned, ban·ning, bans**

1.

a. Proibir (uma ação) ou o uso de (algo), especialmente por uma ordem legal: banir o fumo em teatros; banir pesticidas em parques. Veja sinônimos para proibir.

b. Recursar-se a permitir que (alguém) faça algo, vá a algum lugar, ou seja partícipe de algo;

excluir: um treinador que foi banido do campo de partida; um jogador que foi banido do clube.

2. A África do Sul sob o antecedente regime de apartheid, para privar (uma pessoa suspeita de atividade ilegal) do direito à livre associação com outras pessoas.

3. *Archaic.* Amaldiçoar.

n.

1. Uma excomunhão ou condenação pelos membros da igreja.

2. Uma proibição imposta pela lei ou por um decreto.

3. Censura, condenação ou desaprovação expressa especificamente pela opinião pública.

4. Uma chamada para pegar em armas, nos tempos feudais.

5. *Archaic.* Uma maldição, uma imprecação.

cor·rupt (kə-rŭpt′)

adj.

1. Marcado pela imoralidade ou perversão; depravado.

2. Venal ou desonesto: um prefeito corrupto.

3. Que contém erros ou alterações, especialmente as que impedem a compreensão ou o uso adequados: uma tradução corrupta; um arquivo de computador corrupto.

4. *Archaic.* Contaminado; pútrido.

O apelo ao estrangeiro me parece natural, sobretudo em homenagem à nossa invencível predileção – ou à predileção de alguns [muitos] de nós – por ideias, por costumes e por coisas norte-americanas.

E além do mais, quem é que pode prescindir dos amigos?

Foi guiado por Virgílio que Dante (em 12, 11-15) conheceu a *Infamia di Creta*:

> No sétimo círculo, depois de um declive mais abrupto, beirando o precipício produzido por um terremoto, encontramos o furioso Minotauro, que Virgílio soube afastar, antes me dizendo para me esconder numa fenda, enquanto o monstro vivia um de seus acessos, mordendo a si mesmo.

É bem possível que a palavra – o elemento criativo do universo –, e apenas ela, possa nos guiar para dentro e para fora do inferno.

Diante dessa intuição, que se soma ao conhecido jeito brasileiro de inventar as coisas, proponho uma nova palavra: *ban-corrupt* ou simplesmente *bancorrupt*. É inglês, feito por brasileiros!

Bancorrupt é o fruto da contração do verbo *to ban* (banir) e do adjetivo *corrupt* (corrupto). Refere-se ao nosso modo peculiar de acabar com os corruptos e com a corrupção. Não à toa que *bancorrupt* lembra *bankrupt* (falido). No Brasil, o acaso, muito mais do que o esforço dos comediantes, encarrega-se do bom humor.

Para combater a corrupção, destruímos o capitalismo, demonizamos a política, expomos nossas leis ao ridículo e levamos as instituições ao ponto de ruptura, a uma fadiga que flerta com o irreversível.

É sobre essa técnica inigualável, que corrompe o combate à corrupção, e sobre as suas consequências fantásticas, mas paradoxalmente reais, que trato nestas minhas reflexões.

A PROFECIA DE BELCHIOR, NA VOZ DE ELIS

Por isso cuidado meu bem
Há perigo na esquina
Eles venceram e o sinal
Está fechado pra nós
Que somos jovens...

("Como nossos pais". Belchior, 1976)

Antônio Carlos Belchior traduziu como poucos um sentimento que se repete, de quando em quando, na mente ou no coração de muitos de nós (não todos), ao menos desde os anos 60 do século passado: a certeza de que um futuro indigno espera novas gerações de brasileiras e de brasileiros, dos quais usurparam um país imenso, exuberante em riquezas naturais, em engenho e em caráter humanos.

O cearense de Sobral, homem de bigodes espessos, poeta que tinha um jeito único de cantar, morreu recluso e incógnito, na sua tentativa de fugir do mundo. Fugiu, justamente no ano em que a Lava Jato alcançaria o chefe da nação.

A Lava Jato fez mais. Ruiu, sob os olhos estupefatos da *intelligentsia* amedrontada e os gritos histéricos dos tarados do cadafalso, os pilares de nossa política de gangues e de conchavos e as suas pútridas relações com as principais e mais importantes organizações empresariais brasileiras (não todas), sobre as quais se conheceu uma de suas mais destacadas competências: a capacidade de corromper agentes públicos.

Parece bom, mas não é.

A Lava Jato e os seus protagonistas acusaram, processaram, condenaram e mandaram prender, não necessariamente nessa ordem, gente importante por aqui. Levaram ao chão grandes empresas e, com isso, combaliram mercados estruturantes da economia brasileira. Acabaram com maus políticos e maus empresários e, no seu lugar, deixaram mais, e pior, do mesmo. Se o que digo já não é vitupério para a maioria esmagadora da população, que vive a angústia do desemprego e da pobreza, restarão apenas justificativas frágeis para o desmonte do país.

Agentes de Estado não se furtarão de sua responsabilidade ao dizer que seu trabalho se resume a acusar, a condenar e a prender ou mandar prender. O Estado é um só. Os agentes de Estado têm que medir consequências, para além de exercer suas funções imediatas.

Também não vale dizer que é tudo culpa dos corruptos. A corrupção não prescinde da política e do mercado. Os corruptos jamais destruiriam o seu ganha-pão.

A corrupção gera ineficiência, iniquidade e pobreza, mas não é óbice ao crescimento econômico. Note-se que, por exemplo, a disciplina jurídica do financiamento de campanhas eleitorais nos EUA, a maior economia do planeta, institucionaliza a corrupção naquele país – os candidatos são abertamente financiados por grupos econômicos, financiados pelo poder econômico, para ascender ao poder político –, ainda que lá o *lobby* pós-eleitoral se estabeleça com razoável dignidade.

O problema com a corrupção, e com o seu combate, é que o ganha-pão dos corruptos depende tanto da política e dos mercados quanto o ganha-pão das pessoas de bem.

O combate à corrupção no Brasil, elevado à condição de alta dramaturgia pela Operação Lava Jato, opôs as instituições do Estado, fez terra arrasada de setores inteiros da economia, mas não acabou com a corrupção. Trouxe para a corrupção bandidos ainda mais perigosos, ciosos pelos lucros que não terão que compartilhar com os tantos patifes expulsos, talvez por ora, da criminalidade.

Combate à corrupção depende de vontade política e de coordenação institucional. Planejamento é imprescindível. Mas planejar, todos sabem, planejar não é conosco. Nós fizemos tudo de supetão, aparentemente para amansar jovens revoltados, que quebravam agências bancárias, mas, na verdade, para atender empresas estrangeiras, as quais, muito menos preocupadas com a ética nos negócios, não querem dar dinheiro para corrupto. E como, sem dar dinheiro para corrupto, não é possível competir no Brasil, com empresas brasileiras especializadas em corromper, era importante acabar com a corrupção de um modo tão desastroso que acabasse, de roldão, com o capitalismo nacional.

Essas empresas brasileiras destruídas – muitas ainda serão – eram deploráveis, mas eram nossas, davam empregos, geravam renda, proviam recursos para o consumo e, por meio do consumo, conferiam liquidez e valor aos ativos. Manejavam recursos públicos, mediante paga, é claro, para investir em mercados demasiado amedrontadores para os capitalistas e imprescindíveis para o povo.

Era ruim com as organizações empresariais criminosas. Ficou pior sem elas. Era possível depurá-las, sem destruí-las.

Muito de suas práticas, hoje proscritas, já foram largamente aceitas pelo nosso sistema jurídico. Não é que disfarçavam. É claro que, quando uma empresa faz doações a todos os candidatos a um mesmo pleito eleitoral, não o faz por diletantismo, mas na esperança de que, qualquer que seja o eleito, esteja atento às necessidades do doador. Isso era, até outro dia, prática comum, aberta e absolutamente lícita.

A certeza de que "Como nossos pais" alcançou a sua missão transcendente na voz de Elis não é distinção ao gênio de Belchior. Os gênios inevitavelmente se encontram, assim como um burro coça outro burro – *asinus asinum fricat*.

Temo que a letra de Belchior e a voz de Elis tenham encontrado o seu vaticínio: o fim da história do Brasil é um sinal vermelho, uma porta fechada para os nossos jovens.

Arriscamos perder definitivamente o país, que escorre por entre os nossos dedos.

Culpa nossa, nossa máxima culpa.

O COMBATE INCONSEQUENTE

O mote deste livro não promove uma polêmica irresponsável. Já disse. Não critico o combate à corrupção, tampouco faço apologia à delinquência, muito ao contrário.

O que me desagrada é o modo como temos tratado desse mal que assola o país.

O tratamento do problema, acredito, sobretudo do ponto de vista legal, presta serviços muito mais a aprofundá-lo, tanto o problema quanto suas consequências, do que para prover soluções honestas e definitivas. E, nesse contexto, as empresas, sob a premissa de que o capital não prescinde do Estado – estou certo de que, para concluir nesse sentido, sinceridade é mais importante do que intelecto –, encontram-se fadadas à marginalidade ou à morte.

A bem da verdade, refiro-me à macroempresa, à empresa de grande porte, que manejou a captura de um Estado imprescindível à privatização seletiva de recursos públicos, do Estado cavaleiro branco, que impede a ruína do capitalismo, ao prover – por sua atuação nos sistemas econômicos – as taxas de lucro crescentes, das quais o capitalismo não prescinde. Isso porque as pequenas e médias empresas, pobrezinhas, são nascituros moribundos, promessas inconcretizadas, submissas à burocracia massacrante e à corrupção miúda, que sob os trópicos se põem como barreiras de entrada nos mercados, a serviço da concentração econômica exponencial: mais uma das condições existenciais do capitalismo.

A morte da grande empresa brasileira, consequência do brutal ataque ao capitalismo nacional, que se travestiu de combate à corrupção, submeterá, em breve, os nossos ativos, sim, os ativos nacionais, do povo brasileiro, ao que gosto de chamar, talvez impropriamente, de mínimo preço estrutural, isto é, o preço que se forma no mercado em que só há um comprador ou um grupo de compradores coordenados – e que, portanto, é determinado por esse comprador solitário diante de um vendedor prostrado. Nesse dia, sem forças, suplicaremos para que nos comprem, de novo e como sempre, por espelhos e miçangas. Nesse dia, felizes, veremos nossos filhos bater continência aos generais de um exército corporativo apátrida – num mundo desnacionalizado – e, portanto, descomprometido com as coisas e com as pessoas do Brasil.

A pátria é importante. Aos traidores da pátria, Dante, muito antes do aparecimento da Itália, mais uma vez ele, por que não, reservou o último e mais impiedoso círculo. O nono círculo do inferno dantesco castiga, não por acaso, pelo frio. Um frio que impede o lamento, que congela as lágrimas e que paralisa todo o sentimento, ou ao menos a sua expressão mais sensível.

Exagero? Será?

O combate inconsequente à corrupção é entrega e rendição, precisamente porque tem uma capacidade única de promover estrondosa dissolução de instituições nos sistemas político, econômico e social, fisicamente unidos pelas relações de dependência, postas pelo capitalismo, entre povo, empresa e Estado.

Nos regimes de produção capitalista não há trabalho sem empresa, não há empresa sem Estado e não há Estado sem trabalho e sem capital. Um ataque ao capital, portanto, enfraquece – pode ferir de morte – o Estado e o povo.

Não o digo, repito e repito mais uma vez, para propor salvo-conduto. Só peço jeito, cuidado, responsabilidade, cálculo, planejamento, bom senso e bons sentimentos. É muito, eu sei, mas fazer política pública não é tarefa para ineptos, muito menos para ineptos presunçosos.

Antes que digam que não sei sobre o que falo e que mascaro ignorância com grandiloquência, no melhor estilo diversionista, proponho algum consenso sobre corrupção.

CORRUPÇÃO EM PÍLULAS

A corrupção produz, para além do que é intuitivo para todos nós, cinco efeitos devastadores:

1. Transforma o Estado e as suas funções em coisas no mercado, não apenas por meio da captura de governos – no sentido transitório que os regimes democráticos lhes atribuem –, mas também para se apropriar da burocracia de Estado perene – ou seja, a corrupção tem a tendência de se institucionalizar.

2. Desnatura as demais instituições – depois que a corrupção se institucionaliza –, para as submeter aos fins próprios da corrupção. Ao se observar o exercício dos poderes do Estado, sob a ação da corrupção, o que se vê é que o Executivo administra a serviço dos

corruptores, o Legislativo vende leis e o Judiciário, sentenças.

3. Usurpa, ao se apropriar do Estado, a energia vital dos trabalhadores, que se transmuda, sob a organização das empresas, em produtos e serviços nos mercados, para produzir riquezas que fluem, mais e mais, para o Estado, por meio dos impostos, a pretexto de pavimentar a civilização e o bem-estar social, e do Estado para o capital, para salvaguardar a sua capacidade de autogeração.

4. Falseia a concorrência entre os agentes econômicos, para incrementar o poder de mercado de uns - os que da corrupção se beneficiam - em detrimento de outros, até o seu expurgo dos mercados, para vitimizar os consumidores ao expropriar parte de sua renda, por meio da determinação, do domínio do preço de produtos e de serviços nos mercados.

5. É obstáculo ao desenvolvimento das nações, promove a pobreza e afronta a dignidade das pessoas.

A corrupção responde, todavia, por outras consequências mais controversas, no contexto do que se pode chamar de uma "economia da corrupção".

A corrupção, que é ilícita, beneficia atividades empresariais lícitas. Pagar propina para ganhar uma licitação é ilegal, construir pontes e túneis ou operar usinas de geração de energia, em si, não é.

Essa corrupção, que é malvada, na essência e por seus efeitos destruidores, entranha-se, de um lado, no Estado e nos governos, e, de outro, em algumas organizações empresariais. No Estado e nos governos, que cuidam da administração pública, e nas empresas, que, nos sistemas de produção capitalista, respondem, direta ou indiretamente, pela criação e manutenção de postos de trabalho, pelo pagamento de salários e pela geração de renda, pelo consumo, pela poupança, pelo investimento, pela inovação, por parte significativa da arrecadação de impostos que, não inteiramente malversados, custeiam o grosso do funcionamento do Estado.

É por isso que combater a corrupção é como combater um câncer. É necessário matar o câncer sem matar o paciente, sob a dificuldade extraordinária de que ambos – o câncer e o paciente – habitam o mesmo corpo. O paciente precisa se livrar do câncer, mas não vive sem o seu corpo. Destruir o corpo mata o câncer, mas também o paciente. Quanto mais o câncer se espalha, mais difícil separar as células doentes das sadias e, com isso, exterminar as primeiras e preservar as últimas.

No contexto de corrupção sistêmica, como a nossa, que perpassa os sistemas econômicos a partir de algumas das mais importantes organizações empresariais do país, em suas relações com o Estado, o seu combate – quando indiferente às melhores técnicas disponíveis – será capaz de causar, como tem causado, grave deterioração dos ambientes político-jurídico, econômico c social.

Alguns dirão que esse resultado é, ao contrário, determinado justamente pela corrupção, jamais por seu combate. Equivocam-se. A corrupção viceja, a bem da verdade, sob estabilidade política e crescimento econômico.

A corrupção tem a ver com desnaturação da política, não com instabilidade política. Produz desigualdade nos mercados e nos sistemas sociais em geral, mas não impede o crescimento econômico, que é a métrica imprecisa do bom sucesso das nações.

Esses mesmos dirão, a ponto de convencer os tolos, que se a nossa política e a nossa economia são corruptas, o melhor, então, é que simplesmente nos livremos delas. Aqueles que o dizem, em geral, fazem-no sob a menor perspectiva de perderem seus empregos, todas as suas reservas e o mínimo de dignidade – num regime de produção no qual só o dinheiro provê dignidade. Mal-acostumados com privilégios, para atestar o malogro de nosso arremedo de democracia, escolhem por quem nunca teve escolha. Pior, acreditam – desprovidos de imaginação – que, por desconhecerem o fundo do poço, jamais irão tocá-lo.

Não compactuo com a ideia de que demos o primeiro passo para uma transformação definitiva. Temo que esse seja, e o digo com respeito, mas também com consternação, um *slogan* vazio, a pequena filosofia de nossa eterna e inquebrantável esperança por um país melhor.

O DESPREZO AOS FUNDAMENTOS E A PERMEABILIDADE SELETIVA

O combate brasileiro à corrupção, o *bancorrupt*, é um porteiro exigente, mas jamais uma barreira instransponível. É uma fábrica de supercorruptos, assim como o combate às drogas, que, mal comparando, deu vida e engordou supertraficantes e narcoestados.

Cogito que a disciplina jurídica do combate à corrupção tenha se tornado, entre nós, uma barreira seletiva de entrada dos corruptos no mercado da corrupção, e que desse modo arraste as empresas – como se fosse possível – a relações ainda mais patológicas com o Estado.

Um exitoso combate à corrupção pressupõe o bom-sucesso na adoção de uma estratégia jurídico-institucional, que deve se alicerçar em quatro pilares:

1. determinação do âmbito da delinquência;
2. detecção da delinquência;
3. sistema de punições; e
4. vias de abrandamento calculado de punições e de incentivo à colaboração (leniência).

Os quatro pilares devem ser igualmente fortes e bem construídos, sob pena de ruir a estrutura, com consequências desastrosas.

O aparecimento das leis nº 12.850 (Lei de Organização Criminosa - Delação Premiada) e nº 12.846 (Lei Anticorrupção - Leniência), ambas no ano de 2013, ainda no primeiro mandato da presidente Dilma Rousseff, determinou uma verdadeira e parcialmente positiva revolução em dois dos quatro pilares: no aparelhamento dos instrumentos de detecção da delinquência e para a urdidura de um severo sistema de punições.

A Lei de Organização Criminosa, nossa versão da Lei Antimáfia norte-americana (a RICO - *Racketeer Influenced and Corrupt Organizations Act*), proveu à Polícia e ao Ministério Público poderosíssimos instrumentos de coleta de provas, que o grande público só conhecia dos filmes de Hollywood. Refiro-me à colaboração premiada, à captação ambiental de sinais eletromagnéticos, ópticos ou acústicos, à ação controlada, ao acesso a registro de ligações telefônicas e telemáticas, às interceptações telefônicas e telemáticas, à infiltração de agentes policiais em supostas organizações criminosas etc. Essas novas ferramentas ampliaram, não resta dúvida, a capacidade de detecção da delinquência.

A Lei Anticorrupção incrementou o existente sistema de punições, posto no Código Penal, na Lei de Licitações, na Lei de Improbidade Administrativa, na Lei Antitruste, na regulação da Comissão de Valores Mobiliários e do Banco Central do Brasil. Arrastou para o centro de imputação de responsabilidade não só as pessoas jurídicas que praticaram o ato, mas também aquelas que dele se beneficiaram.

A Lei Anticorrupção também recrutou as organizações empresariais à detecção e denúncia do ilícito, acenando – nas hipóteses de adoção de planos de integridade (*compliance*) – com promessas de abrandamento das punições, por meio de acordos de leniência.

Mas o fortalecimento de apenas dois dos quatro pilares deveria, por princípio, desequilibrar a estrutura. E foi precisamente o que aconteceu.

O reforço dos mecanismos de detecção da corrupção, sem a clara e objetiva determinação do âmbito da delinquência, deu ensejo a uma casuística e, sobretudo, subjetiva caracterização do que é corrupção.

Explico-me.

O julgamento da Ação Direta de Inconstitucionalidade 4650 proibiu o financiamento empresarial de campanha.[1] Antes disso, sociedades empresarias, algumas delas companhias abertas de grande porte, estavam autorizadas a fazer doações empresariais para candidatos a quaisquer pleitos eleitorais.

Não raro, empresas doaram centenas de milhões de reais, em alguns casos – para não ter erro – para todos os candidatos ao mesmo pleito. Doaram abertamente a candidatos que seriam, uma vez eleitos, determinantes para a contratação dos doadores pela Administração Pública, senão para que fossem por ela agraciados com benesses e facilidades das mais variadas.

Empresa – diferentemente do que alguns têm afirmado –[2] não tem ideologia. "Doaram", é claro, jamais por diletantismo, mas para tirar proveito econômico do apoio, na mais franca política de "toma lá, dá cá".

E que não se diga que todo mundo sabia, mas que não havia prova. Mentira! Sociedade empresária não contrai, não pode contrair, obrigação de mero favor. A empresa é uma máquina de trocas econômicas – preferencialmente desiguais e vantajosas – nos mercados. Empresa só faz política quando política dá dinheiro.

Precisava de qualquer outra prova? É claro que não.

O fato é que essa era prática corrente, amplamente aceita, contra a qual eu fui voz isolada, já em 2007, no artigo "A empresa pluridimensional. Empresa política e *lobby*".[3]

Foi apenas no âmbito das colaborações premiadas, já em meio à Operação Lava Jato, que alguns delatores, quase sempre os que estavam presos – ou apavorados por essa possibilidade –, afirmaram que "as doações oficiais eram feitas com dinheiro proveniente de contratos superfaturados" ou que "essas doações eram, na verdade, propina para obter contratos com a Administração". É certo que eram. Já eram antes. Sempre foram.

O que seria uma doação para todos os candidatos a presidente? Ou a governador? E a mais de cem candidatos a deputado? E a todos os candidatos a senador?

O que mais poderia ser uma "doação" àqueles que se tornariam – não por coincidência –, uma vez eleitos, os responsáveis por contratar os doadores, criar leis favoráveis a eles, obter autorizações estatais para o seu bem etc.? Era pagamento em troca de benefício!

Mas antes podia. Ninguém disse que não podia. Sempre pôde. Pôde por muito tempo. E a permissão reiterada fez acreditar na legalidade. A bem da verdade, uma permissão estatal reiterada é prova de legalidade.

Alguns dirão que essa "pequena" incoerência é coisa do passado, morta e sepultada por juízes e promotores corajosos, os nossos heróis da última hora.

Nada poderia ser mais errado.

Ainda vige entre nós uma permissiva disciplina jurídica das doações de pessoas físicas, ninguém poderá negar que, num país de tantas desigualdades, umas "podem" mais do que as outras. As doações de pessoas físicas, que não distinguem propriamente os ricos dos pobres, para impor limitações suficientes aos primeiros, são capazes de reproduzir as mesmas e indesejáveis consequências que levaram à proibição das doações empresariais. Arriscam atribuir ao voto dos ricos mais importância do que ao do cidadão comum.

Não fosse isso, há muita gente querendo ressuscitar essa proscrita doação empresarial, para convencer o Supremo Tribunal Federal de que a sua interpretação do art. 9º da Constituição Federal, manifesta há pouco tempo, na decisão da referida ADIN 4650, estava equivocada.[4]

E se a disciplina do chamado *lobby* pré-eleitoral é essa bagunça, o que se dirá do *lobby* pós-eleitoral?

O *lobby* pós-eleitoral, que se caracteriza pela atuação de grupos de pressão sobre o Parlamento para, modelarmente, fazer seus legítimos interesses prevalecerem no processo de aperfeiçoamento das leis do país, é hoje tarefa da qual se encarregam as chamadas Frentes Parlamentares.

As Frentes Parlamentares são bancadas multipartidárias, que se organizam como entidades paralegislativas, para estudar projetos de lei em favor de determinados setores da sociedade civil.

A disciplina da atuação dessas frentes seria nenhuma, não fosse uma regra isolada, um ato da Mesa da Câmara dos Deputados, que proíbe o seu financiamento com dinheiro público. Isso significa que devem ser financiadas com dinheiro privado.

São, portanto, hoje, na 55ª Legislatura, centenas de Frentes Parlamentares, a exemplo da Frente da Agricultura, ou do Automobilismo, ou dos Direitos dos Autistas, que ensejam a mobilização de parlamentares num país de dimensões continentais, a realização de estudos, de encontros, de jantares, de congressos e de publicidade, com dinheiro privado.

O que é isso? É claro que são pessoas ou grupos de interesse pagando para que os representantes do povo os representem melhor do que o resto do povo. E pode? Não sei dizer. Só sei que hoje ainda é amplamente tolerado.

E o digo apenas para provar meu ponto. Não sabíamos e continuamos sem saber, em concreto, quais relações entre Estado e empresa caracterizam corrupção e quais delas são produto da democracia, aliás, um pressuposto da democracia.

Não por acaso, a maior democracia do mundo, a norte-americana, disciplina o *lobby* por não menos do que três diplomas legais, que permitem, sob pesadas regras de transparência e de *compliance*, o *lobby* pré-eleitoral – com financiamento empresarial de campanha – e o *lobby* pós-eleitoral, que se estabelece por um sem-número de escritórios e de profissionais que compõem uma bilionária indústria de serviços. Assim, o que circunstancialmente temos chamado de corrupção, outros, sob regras e boas maneiras, chamam de exercício da democracia.

Deixar esse "fio desencapado", ou seja, dar de ombros para uma adequada regulação do *lobby*, é permitir que o intérprete-judicante – o juiz – e, antes dele, o fiscal da lei – o Ministério Público – diga, casuística e subjetivamente, o que é corrupção e quem é corrupto ou corruptor. E isso, num Estado Democrático de Direito, é intolerável. Ninguém, nenhum de nós, deveria – ainda que a pimenta arda nos olhos dos inimigos (por ora) – aceitar esse tipo de incerteza.

Além do mais, essa grave deficiência na determinação do âmbito da delinquência, que acabo de denunciar, contamina e ameaça render inúteis todos os avanços na detecção do ilícito. Isso porque a detecção não pode ser consequencialista – que escolhe o culpado e depois se esforça para provar a sua culpa –, sob pena de descambarmos para um regime de exceção. Quando o tira bom planta prova contra o traficante, pode até colocar um malfeitor na cadeia, mas inutiliza todo o modelo de coleta de provas, que se corrói pela inconfiabilidade.

Nem todos os policiais são eficientes e honestos, nem todos os juízes são justos. O que garante a eficiência, a honestidade e o senso de justiça são as condutas e os limites impostos pela lei a esses agentes de Estado.

De outro lado, as vias de abrandamento calculado de punições, representadas pelos chamados acordos de leniência, tal como propostos pela Lei Anticorrupção, não representam uma via de continuidade para as empresas.

Já tive, mais de uma vez, a oportunidade de afirmar que essa deficiência responde pela destruição injustificada do capitalismo e do conteúdo nacionais, pelo fim de milhões de postos de trabalho, e pelo que chamo de combate inconsequente à corrupção.[5]

A leniência é um caminho de sobrevivência para as empresas que praticaram atos de corrupção ou que deles se beneficiaram. É, como disse, uma solução de continuidade, para preservar empregos, contratos e todo o tipo de interesse legítimo que gira no entorno de uma empresa, mesmo que envolvida com corrupção. É também um incentivo. A leniência alinha os interesses da empresa aos do Estado. Aquelas empresas que querem sobreviver devem cooperar, devem revelar, sem reservas, todos os atos ilícitos que praticaram, de que têm prova, assim como quais foram os seus autores e partícipes.

É um mecanismo pragmático, cuja utilidade é evidente. Resguarda o papel punitivo e disciplinador do Estado, amplia a sua capacidade de investigação – uma vez que estimula a cooperação do particular – e, ao mesmo tempo, preserva as empresas e a economia do país. A força da punição é aliviada pela leniência mediante colaboração.

O problema é que a punição da corrupção, protagonizada pelo Ministério Público, funciona bem, mas a leniência, em meio ao que parece uma indefinição de competências institucionais, não. As empresas não sabem com quem falar. Muitos acordos, nos quais empresas prometeram colaboração e assumiram o dever de pagar indenização e multas ao Estado, foram celebrados com o Ministério Público.

Esses acordos desconsideram que, no âmbito federal, por exemplo, a Lei Anticorrupção atribui ao Ministério da Transparência e Controladoria-Geral da União (CGU) a competência para celebrar os acordos de leniência. Também não observam, com frequência, as atribuições de outros importantes órgãos do Estado, a exemplo da Advocacia-Geral da União (AGU) e do Tribunal de Contas da União (TCU), assim como, eventualmente, também do Conselho Administrativo de Defesa Econômica (CADE), da Comissão de Valores Mobiliários (CVM) e do Banco Central do Brasil (BACEN).

O resultado é que a pressão diminui de um lado, mas aumenta de outro. A empresa que celebra acordo com o Ministério Público não se livra da pesada mão do Estado; pode, independentemente desse acordo, ser declarada inidônea pela CGU ou pelo TCU. A indenização e a multa podem ser revistas e aumentadas. Quando a empresa se convence de que se livrou de uma ação de improbidade ou de qualquer outra medida judicial proposta pelo Ministério Público, descobre que esse não é, digamos, o entendimento da AGU, que também é competente para ajuizar essas demandas. Pode ainda acreditar que está quite com algum ou todos esses órgãos, e ser condenada por prática anticoncorrencial pelo CADE, ou por afronta à regulação do sistema financeiro e do mercado de capitais pelo BACEN e pela CVM, respectivamente.

Sem que haja segurança sobre os benefícios da cooperação, não há leniência. Nesse cenário de profunda indefinição, as empresas colaboram, mas, no fim, ainda se veem envolvidas com os mesmos problemas.

Aqui, o insolúvel se resume à busca interminável pelo "moço do outro guichê". Em prol da segurança e da justiça, é indispensável a articulação entre os órgãos da Administração Pública, para que o combate à corrupção não se transforme numa disputa por competências, tampouco numa peregrinação de gabinetes, sob o temor de que o que se combinou com um não valha com os demais.

O impasse arrisca, como não canso de dizer, a extinção do capitalismo nacional, mas, antes disso, danifica gravemente o modelo de privatização da detecção do ilícito.

Sim, a leniência é um incentivo à criação de planos de integridade efetivos. O que chamamos de *compliance* nada mais é do que um conjunto de regras e de estruturas organizacionais, de que devem lançar mão as empresas, para detectar atos de corrupção e colaborar com os agentes estatais de controle, caso queiram ser beneficiadas com um abrandamento de punições.

É uma técnica - baseada em incentivos - de multiplicação dos olhos e dos ouvidos do Estado, por meio, repito, da privatização parcial dos agentes de controle. É como se cada empresa e cada um de seus administradores e empregados fosse um fiscal da lei, pronto para denunciar ilícitos.

Se o incentivo não existe, a conduta que o incentivo pretende fomentar será inexistente ou se resumirá a uma formalidade inútil. Daí a ampla difusão dos "planos de integridade de papel" ou do "*compliance* para inglês ver".

Há, portanto, muita coisa errada com o nosso modelo de combate à corrupção. Mas por que esses equívocos são, como afirmei, instrumento de uma permeabilidade seletiva?

A resposta é intuitiva.

A caracterização casuística e subjetiva dos ilícitos leva à paralisia dos honestos. Os sérios não querem arriscar sequer um segundo de cadeia. E, portanto, irão se manter a quilômetros de distância de qualquer relação econômica com o Estado.

O escasseamento de agentes econômicos num dado mercado tende a aumentar os lucros. Mais um incentivo àqueles sem qualquer escrúpulo. Falta de escrúpulo combina com ganância. Com os honestos de fora, com medo de tudo - porque sem definição exata tudo pode ser crime -, os ratos farão a farra.

Isso, desde logo, significa um convite para que malfeitores de todo o tipo participem, por exemplo, de concorrências para contratos administrativos e concessões públicas. Pior, significa uma deterioração ainda maior do ambiente político e dos políticos. E isso, sob um modelo roto de combate à corrupção, determinará um enfraquecimento sistemático e mortal do capitalismo nacional.

Na selva, bicho que sangra é comido.

Estamos, em verdade, promovendo um capitalismo liliputiano, de empresas com apenas seis polegadas, ou econômica ou moralmente. É, a bem da verdade, mantido o estado de coisas que descrevo, o ocaso do nosso capitalismo.

E há gente feliz, que grita de regozijo a cada enforcamento, que treme de excitação diante dos jatos de sangue que tingem os laços, cada vez mais estreitos, entre a corrupção, que aqui se combate à brasileira – por meio do *bancorrupt* –, e o fortalecimento do crime organizado.

OS NÚMEROS DA LAVA JATO

Se é questionável que a Operação Lava Jato tenha expurgado de sujidades os ambientes político e empresarial brasileiros, por outro lado, não restam dúvidas de que os seus esfregões respondem, em alguma (grande) medida, por varrer setores econômicos inteiros, pela demolição de empresas brasileiras de grande porte – tantas delas com atuação transnacional de inquestionável excelência – e pela perda de milhões de postos formais de trabalho.[6]

Alguém dirá que esse desastre é culpa dos governos de Lula e de Dilma. Se essa proposição não dispensa alguma elucubração, de provas e da urdidura de argumentos acerca dos "causadores concorrentes da desgraça", a minha assertiva, ou seja, o dano a que me refiro, a sua causa e o seu agente se provam, todavia, pela simples constatação dos números e das suas vítimas. Dados estatísticos brotam, exuberantes, da análise dos índices de higidez das empresas envolvidas, de sua relação com o Produto Interno Bruto, com o pleno emprego e com os consentâneos dados macroeconômicos.

Mas toda a destruição, que em breves instantes se expressará em números, é compensada – dirão alguns resolutos – pelo brutal benefício que o fim da corrupção trará, já trouxe, para o país! É um remédio amargo, que nos salvará da doença crônica que nos flagela desde nossa invenção! Devolverá aos cofres públicos tudo o que deles se roubou! Ou, como pensam os mais modestos, é ao menos o bom começo de uma nova época.

Será?

A Lava Jato, no seu auge, parece não ter acanhado alguns dos supostos protagonistas contumazes da corrupção, aliás, foi precisamente nesse momento que, segundo os seus detratores, alcançaram uma perfeita sobreposição entre poder formal e material.

O impeachment que alçou Michel Temer à Presidência da República, cargo que é um verdadeiro fetiche, mas um estamento de poder de relativas utilidade e estabilidade, não freou um sem-número de denúncias, de delações premiadas, de ações controladas, de apreensões e de prisões. Essas ações do aparato de combate à corrupção colocaram na berlinda o novo presidente ou, como prefere pensar metade do país, apenas o homem que ocupa circunstancialmente o cargo, mas não foram capazes de movê-lo em direção ao precipício, salvo por um Parlamento que suspendeu duas denúncias criminais apresentadas pelo Procurador-Geral da República, segundo o que se noticiou, em troca do empenho de emendas que proveram acesso – aos parlamentares salvadores – a aproximados R$12 bilhões, isto é, capital eleitoral indispensável num ambiente de drástica contenção de doações de campanha.

Foram pagos, como alardearam os meios de comunicação do país, com dinheiro do povo, às custas do combalido equilíbrio de contas públicas, para salvar a pele do novo presidente – talvez apenas por pouco tempo. Sim, os mesmos parlamentares que exigiram austeridade fiscal de Dilma Rousseff e que, inflexíveis diante das "pedaladas", cortaram-lhe a cabeça.

Talvez os números ajudem a explicar essa incoerência ética do nosso Parlamento, que oscilou do rigor fiscal absoluto a uma permissividade desmoralizante. Demonstram que a austeridade na política não foi propriamente o maior incentivo imposto pelas conquistas da Lava Jato.

Se o combate à corrupção se tornou o desejo número um das brasileiras e dos brasileiros, a verdade é que esse combate atingiu de maneira desigual as classes política e empresarial. Dos vinte políticos presos pela Lava Jato e por seus filhotes, desde 2015, apenas nove continuavam presos até o fim de 2017.[7] E não se acanharam, não parecem amedrontados pelo juízo implacável do povo, porque nada menos do que 19 réus em processos penais decorrentes de investigações da Operação Lava Jato são candidatos às eleições em disputa em 2018.[8]

Esse número contrasta com as dezenas de empresários brasileiros – controladores e administradores de empresas brasileiras envolvidas em corrupção –, que se encontram nessa condição, seja no contexto de prisão cautelar, seja em cumprimento das mais diversas penas de restrição de liberdade a que foram condenados. Contrasta também com o fato de que, até agora, nenhum administrador estrangeiro foi preso, ainda que empresas estrangeiras estejam metidas no problema.

A prisão de controladores e de altos administradores lança naturalmente as empresas a eles relacionadas em profunda crise reputacional, jurídica e também econômico-financeira.

Quando essas empresas exercem, por exemplo, papel importante no desenvolvimento de projetos essenciais de infraestrutura, na geração de riquezas e de postos de trabalho, então, todos os setores econômicos que com elas se relacionam padecem e com eles a economia do país inteiro.

O impacto da Operação Lava Jato no Produto Interno Bruto foi estimado a partir de um importante trabalho da GO Consultoria. Um impacto negativo que, como explicou a matéria do *Globo* que ao estudo se refere, contabilizou "as perdas no valor bruto da produção, nos empregos, nos salários e na geração de impostos".[9]

Mas é claro que essas perdas serão compensadas pelo produto do crime punido e coibido pela Lava Jato! Não é mesmo?

Nada poderia ser menos verdadeiro.

Matéria recente da *Folha de S.Paulo* anunciou que houve uma queda de 90% na taxa de recuperação do produto do ilícito.[10]

A bem da verdade, o que se recuperou efetivamente é uma nesga, uma fração insignificante do que se perdeu.

O gráfico a seguir propõe que o combate à corrupção, esse que temos promovido, deu causa a perdas que montam aproximados R$180 bilhões, enquanto se espera recuperar - sob fé intensa e inquebrantável - pouco mais de R$10 bilhões.

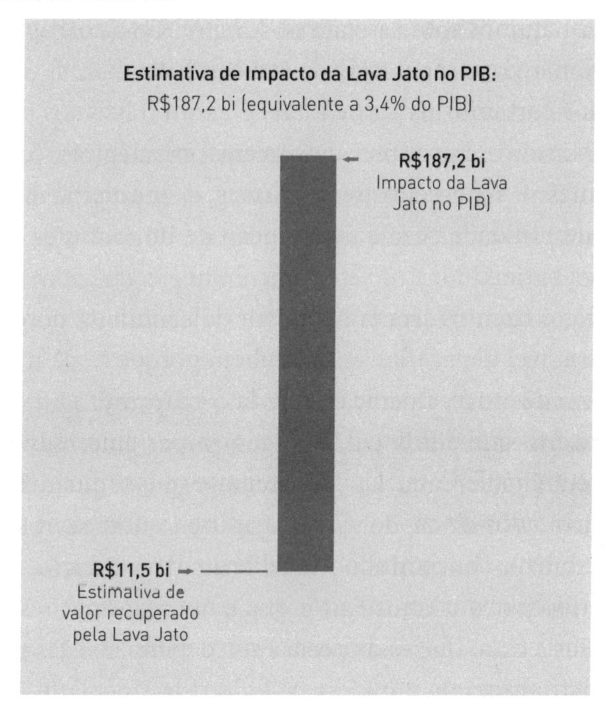

Fontes: GO Consultoria, *Folha de S.Paulo*.

Gráfico: Jurilab

Essa brutal expectativa de ressarcimento depende, é claro, em grande medida, da sobrevivência das empresas envolvidas, ainda que pouco ou nada se tenha feito para preservá-las.

Alguns dirão, plenos de certeza, de peito estufado, como já ouvi centenas de vezes, que melhor sofrer agora do que sofrer para sempre, que precisávamos dar cabo desse mal, desse descalabro, dessa doença brasileira, dessa mania de roubar.

É autoengano.

Não agimos sobre as causas. A repressão à corrupção não é, não deve ser, o todo do seu combate.

Nós cortamos na carne à toa. E assim o fizemos porque matamos empresas valiosíssimas, estratégicas, competentes – a despeito de corruptas –, brasileiras e de grande utilidade para a consecução de importantes objetivos sociais.

Nós o fizemos erradamente por dois motivos: porque era possível depurá-las, mas também porque a sua morte, nem de longe, significa o fim da corrupção.

É certo que, no Brasil, as organizações empresariais, diferentemente daquelas que atuam e que se financiam em mercados de capitais mais maduros, submetem-se a um controle concentrado – totalitário e majoritário, isto é, detido por um controlador que tem todas as ações ou a maioria delas. E isso dificulta a sua depuração em casos de corrupção.

Aqui, ainda prevalece um modelo de capitalismo menos sofisticado, com maior sobreposição entre controle e propriedade. Ou seja, o controlador, como disse, é dono da maioria, senão de todas as ações de uma companhia.

Uma maior separação entre controle e propriedade, hipótese em que alguém com menos da metade das ações controla a sociedade - às vezes, valendo-se de algumas técnicas, com muito menos da metade -, é uma marca da viragem do capitalismo concorrencial para o capitalismo monopolista de Estado, no qual o Estado provê meios ao salvamento das taxas de lucro e da capacidade de autogeração do capital.

É o Estado que instrumentaliza a lei para esse fim. É uma intervenção estatal que permite, que viabiliza essa separação e, portanto, os seus efeitos.

Uma separação - entre propriedade e controle - que permite a alguém controlar os meios de produção de uma sociedade empresarial, ainda que não seja dono de todas as participações societárias de sua emissão e que não tenha, portanto, prestado todas as entradas à formação do seu capital.

Isso quer dizer que o controlador de uma sociedade anônima exerce efetivo controle empresarial sobre ela, ainda que, em alguns casos, sequer tenha a maioria de suas ações, porque o poder de controle permite que disponha dos meios de produção da sociedade como se fossem seus, mesmo que não lhe pertençam.

Essa invenção do Direito dá, portanto, ao controlador domínio de mais ativos com menos dinheiro, e faz com que aja em relação a eles como seu dono, ainda que não tenha desembolsado todos os recursos correspondentes ao seu preço de mercado. É uma maquinação jurídica que, evidentemente, avança a concentração econômica.

No Brasil, essa maquinação - repito, a separação entre controle e propriedade - não alcançou o seu desenvolvimento máximo, a exemplo do que se deu entre as principais *corporations* norte-americanas, que muitas vezes não têm controlador e que, por isso, são manejadas, sob ampla discricionariedade, por seus administradores profissionais, executivos contratados.

Aqui, há quase sempre um controlador, que é dono de todas ou quase todas as ações. Isso, evidentemente, dificulta uma limpa. A assepsia, nesse caso, terá de alcançar o controlador. Não houvesse um controlador, bastaria substituir a administração para iniciar uma drástica mudança na cultura empresarial viciada.

Quando essa cultura irradia do controlador, um saneamento organizacional poderá passar, como muitos têm defendido nos casos mais graves, alternativa ou cumuladamente, por:

1. alienação forçada de ativos empresariais, com vistas a diminuir os focos de corrupção ou o potencial ofensivo de uma dada empresa na causação de danos à Administração Pública;

2. alienação forçada de controle, somada ou não a uma proibição ao controlador de exercer direta ou indiretamente atividade empresarial, nos casos de reincidência;

3. sujeição da empresa a um intenso monitoramento dos órgãos de controle do Estado, por si ou, ainda melhor, por agentes privados que gozem de sua confiança;

4. adoção de planos de integridade efetivos, que contemplem canais de denúncia, uma ampla autonomia e a estabilidade funcional dos chamados *compliance officers*, ou seja, dos gestores de integridade contratados pela empresa.

Em qualquer hipótese, em que pesem as variadas dificuldades de depuração, será indispensável planejar o combate à corrupção sob o ponto de vista da empresa como um interesse de toda a coletividade, e nesse sentido será necessário:

1. distinguir as organizações empresariais vítimas de atos de corrupção, invariavelmente as empresas públicas e as sociedades de economia mista, das organizações agressoras, que se valem da corrupção para obter benefícios para si ou para outros, em detrimento da Administração Pública;

2. submeter todos os envolvidos, as organizações empresariais vítimas, as agressoras, os seus administradores e empregados a um regime de informação que seja minimamente destrutivo – sob os pontos de vista econômico e moral – e que, ao mesmo tempo, informe o mercado, os investidores, os credores, os consumidores, os trabalhadores, os fornecedores e o povo em geral;

3. prover condições à preservação da empresa para que a empresa, direta ou indiretamente – e nesse caso por meio do controlador –, seja capaz de ressarcir os cofres públicos.

A morte da empresa é duplamente desastrosa. É odiosa porque mata um núcleo gerador de riquezas, de renda, de emprego e de receitas estatais, por meio dos impostos a que a empresa se submete, mas também porque põe fim a qualquer chance de ressarcimento da Administração Pública.

Matar a empresa aplaca um desejo compreensível de vingança, mas leva a uma imolação individual e coletiva, cujos efeitos adversos, em muitos casos, superam aqueles impostos pela corrupção.

As dificuldades de depuração, nos mercados de controle concentrado, como o brasileiro, em nenhuma hipótese explicam ou justificam a destruição de organizações empresariais envolvidas em corrupção. Muito ao contrário. É tarefa de um órgão estatal de planejamento do combate à corrupção - que correntemente inexiste, mas que é vital para o país -, em vista das peculiaridades das empresas brasileiras, adotar protocolos de integridade capazes de limpar sem destruir.

Não é, todavia, o que fizemos.

Os números descarnam o brutal impacto de um combate puramente repressivo à corrupção sobre as empresas envolvidas e sobre as vidas dos seus empregados, que, na esmagadora maioria das vezes, cumpriam honrosamente as suas tarefas diárias, alheios aos malfeitos da alta administração e do controlador.

As empresas investigadas na Lava Jato, no geral, foram obrigadas a cortar mais de 60% de seus postos diretos de trabalhos.[11] É certo que essa involução no efetivo antecede e sucede um desaquecimento em cascata da atividade empresarial, que atinge outras empresas que dependem da empresa afetada.

Os cortes indiretos de postos de trabalho são ainda maiores, porque atingem toda a cadeia produtiva. Assim, se esse é o número das empreiteiras encalacradas na Lava Jato, não será menos trágica a situação das empresas de consultoria em engenharia pesada, da indústria de equipamentos, de transporte, de insumos para a construção etc.

Total de funcionários empregados em (DEZ/2013) 1.059.911

Total de funcionários empregados em (DEZ/2016) 468.000

Fonte: *O Estado de S. Paulo*

Gráfico: Jurilab

Os números de cada empresa retratam um cenário de ruína, e mostram que a aplicação das regras anticorrupção não foram capazes de distinguir as vítimas, precipuamente a Petrobras, dos seus algozes, as empresas que dela se beneficiaram por meio de contratos superfaturados.

Não quero dizer com isso, com o que cairia em contradição, que os algozes merecem a destruição. Mas é natural que o agressor seja prejudicado pela pena que lhe foi imposta – muito menos ou nada por vingança e mais pelo efeito pedagógico da pena, o choque afasta o dedo da tomada –, ainda que a dissociação indispensável entre empresa e empresário inspire mais leniência em favor da primeira, em detrimento do último. E também é natural que a vítima seja preservada, seja tirada dos holofotes, seja poupada dos reflexos do crime, para que o seu calvário não se perpetue.

O fato é que botamos literalmente pra quebrar. E não fizemos diferença!

Foi um banho de sangue, no melhor estilo de Sarajevo, mas aqui sem o Ratko Mladić, o "carniceiro dos Bálcãs".

Aqui, todo mundo tirou ou tentou tirar seu pedacinho, ganhar uma manchete, foto de primeira capa, com os músculos faciais retesados, a quintessência do implacável, enquanto as emendas orçamentárias corriam soltas e o presidente, chumbado no trono, afirmava em contentamento e aprovação: "Tem que manter isso, viu."

A Petrobras, a vítima, que alguns acionistas minoritários querem acabar de estripar – por meio de ações de classe, onde já houve acordo de quase R$10 bilhões, sobretudo em favor de fundos abutres, e de arbitragens nas quais dela pretendem indenização! –, ceifou nada menos do que 259.907 cabeças.

O leitor deve se esforçar para imaginar esses pais e mães de família, incapazes de se recolocar, desnorteados no mercado de trabalho, vivendo a pão duro e água morna, sob a lembrança daquela que já foi a maior empresa brasileira, uma das maiores do mundo, em tamanho comparável com algo como a 50ª maior economia do planeta.

É certo que a última crise do petróleo, que derrubou o preço do barril, encarregou-se de dar os contornos da desgraça. Mas o grosso da queda, o empurrão rumo ao penhasco, esse se deveu aos dias, semanas, meses e anos de manchetes policiais, de escárnio e de vexame, e de uso político do esquema de corrupção que na Petrobras se instalou.

Foi pior, foi muito pior com as empresas que com a Petrobras contrataram e que, envolvidas na Lava Jato, foram dragadas por uma espiral de colaborações premiadas, à medida que os seus administradores e controladores tentavam se desvencilhar de prisões cautelares, de ordens de busca e de apreensão e de seus efeitos patrimoniais e morais devastadores. Tudo isso ao tempo em que eram vistos, por todos nós, nos telejornais, ou estampados pela mídia impressa, ao lado do japonês da Federal, não raro algemados.

"É o que merecem esses bandidos! É pouco! É o destino dos delinquentes, a execração pública, da qual a sua própria torpeza não lhes permite corar" – essa é inevitavelmente a conclusão das mulheres e dos homens de bem, dos pagadores de impostos, dos cumpridores da lei, dos exemplares cidadãos brasileiros que continham, há muito, o grito de pega-ladrão.

Mas não é a conclusão, tampouco deveria ser a conduta que se espera dos órgãos de planejamento e de execução de uma política nacional anticorrupção - desse departamento que não existe, mas que deveria existir.

Ninguém, senão depois de condenado e submetido, antes da condenação, ao devido processo legal e à ampla defesa, deveria, em princípio, ser tratado como culpado. Todavia, se já não vivemos mais pelos princípios - e tudo indica que eles se tornaram descartáveis –, que sejamos ao menos oportunistas.

A que serve a execração, senão a um vazio e contraproducente ímpeto de vingança?

Essa execração dos administradores e controladores, mas que se estende inevitavelmente aos empregados e a toda a empresa, não contribui para a investigação e para a coleta de provas, não promove a colaboração - não mais do que as prisões cautelares e as buscas e apreensões, para além da certeza da punição –, mas, ao contrário, determina uma rápida e renitente demolição do crédito e da reputação empresariais.

A perda de fiabilidade empresarial - da confiança e do crédito - corresponde a um "problema cadastral" imediato. Ninguém dá crédito, ninguém contrata, ninguém paga o que contratou e, à mingua de crédito e de receita, as empresas são asfixiadas; azuis, cianóticas, rumam à morte certa, mais ou menos demorada - a depender da reserva de oxigênio nos pulmões.

Quando tudo isso começou, no segundo semestre de 2014, as empresas envolvidas, deflagrado o seu gravíssimo "problema cadastral", não sabiam sequer por onde começar. Contagiosas, perderam toda a interlocução que tinham com os recém-aterrorizados agentes de Estado.

Não se sabia, ao certo, quando tudo começou, se era possível celebrar acordos de leniência com todas as empresas envolvidas, senão apenas com a primeira colaboradora.

No centro de uma crise de corrupção sistêmica, como a que se abalou sobre nós – provavelmente porque os meios de coleta de prova, revolucionados pela Lei de Organização Criminosa, só nos permitiram detectar a boa e velha corrupção sistêmica depois de 2013 –, uma leniência exclusivista, restrita ao primeiro colaborador, seria inútil para fomentar uma colaboração – e uma solução de continuidade – massiva.

Não fosse a pressão – de efeito retardado – de alguns esclarecidos formadores de opinião, as facções linha-dura do Ministério Público Federal não teriam sido demovidas da ideia de restringir a leniência. Quando isso se deu, e a memória não me falhará, já no segundo semestre de 2015, muitas empresas correram para tentar abrir seus corações.

Tentaram colaborar com as autoridades de Estado, prover-lhes informações, evidências e provas que lhes permitissem desenhar o mapa da corrupção no Brasil. E o fizeram porque acreditaram, depois de um longo impasse, que quem colaborasse regularizaria sua situação.

Ao colaborador, ao menos lhe parecia, o Estado acenava com a leniência – sob o respaldo da Lei Anticorrupção –; clemência capaz de refrear a pata pesada do Leviatã, que ameaça abater-se sobre um frágil crânio.

O benefício da leniência impedia que fossem declaradas ímprobas, administrativa e judicialmente, significava poder voltar a contratar com o Estado e dele receber créditos, cuja pretensão fora suspensa pela "suspeita" de corrupção.

Era a vida, especialmente para quem, como as empreiteiras, existe para contratar com o Estado.

Mas um frouxo regramento da leniência descambou, não canso de dizer, para algo como uma "luta no gel", com múltiplos combatentes. Bagunça! Esquizofrenia!

O Ministério Público Federal, titular da ação penal e sedizente receptáculo confiável das provas colecionadas pela Polícia, para além de autor da ação de improbidade administrativa – pela qual se pretende ressarcimento do erário –, chamou para si todos os acordos de leniência, arrogou-se competência exclusiva para celebrar todos os acordos de leniência relativos à Lava Jato. E o fez, com tanta convicção e a despeito da competência que a Lei Anticorrupção atribuía à Controladoria-Geral da União (CGU), que criou mesmo uma central de coordenação e de revisão de delações e de leniências, a 5ª Câmara de Coordenação e Revisão do Ministério Público.

Essa convicção, vale lembrar, respaldou-se na incompetência do legislador, que se esqueceu de que de nada adiantaria celebrar leniência com a CGU, para evitar uma declaração administrativa de improbidade, se o Ministério Público se recusasse a baixar armas e a desistir da ação de improbidade e, sobretudo, da ação penal contra os administradores e controladores.

A equivalência entre controlador e empresa, que como disse é marca de nosso capitalismo – em meio a uma tendente sobreposição entre controle e propriedade –, também desempenhou papel determinante para transformar o Ministério Público, ao menos temporariamente, ao longo de 2016 e boa parte de 2017, na central do perdão nacional. Isso porque para obter o relaxamento de prisão cautelar, para evitá-la ou mesmo para afastar os efeitos de uma condenação, o controlador encrencado – tanto mais sob a pressão de administradores igualmente encrencados – era levado a colaborar, a celebrar delação premiada e, ao fazê-lo, trazer para o bojo da cooperação também a empresa.

O combo delação-leniência, perante o Ministério Público, tornou-se mais premente na medida em que a cantoria das pessoas físicas tornava inútil, aos olhos da procuradoria, uma leniência subsequente.

O controlador ou os administradores já tinham dado o serviço, leniência para quê? As empresas que se lascassem.

A perspectiva desse triste desfecho contribuiu para que a já referida 5ª Câmara de Coordenação e Revisão se tornasse a *powerhouse* dos acordos de leniência.

Mas não sem que revezes arranhassem a sua pintura, imaculada até então. Em agosto de 2017, a 3ª Turma do Tribunal Regional Federal da 4ª Região – o TRF-4 – decidiu que os acordos de leniência, no âmbito federal, não podiam ser celebrados sem a anuência dos representantes da União, ou seja, sem a CGU e a AGU.

Antes disso, a CGU já tinha dado sinais de irresignação diante do protagonismo assumido pelo MPF, para dar continuidade a processos administrativos de responsabilização, que poderiam levar à improbidade administrativa, ainda que a empresa tivesse celebrado leniência com a Procuradoria Federal. A AGU fez algo parecido, recusando-se a desistir das ações judiciais de improbidade que havia ajuizado.

Não por acaso, muitas empresas que já tinham celebrado acordos de leniência com o Ministério Público viram-se na necessidade de fazer o mesmo com a CGU e com a AGU, sob a imensa dificuldade de não ter mais o que trocar, porque já haviam dado tudo o que tinham aos procuradores.

Quando tudo parecia resolvido, sobretudo para aquelas poucas empresas que conseguiram celebrar acordos com o MPF e com a CGU e a AGU, um órgão de controle externo, o TCU, competente para o escrutínio de legalidade de todos esses acordos, torceu o nariz diante dos valores de indenização e de multa contratados. Ao tomar contas dos acordos de leniência da Odebrecht, por exemplo, celebrados com deus e todo mundo, quase os mandou pelo ralo. Só não o fez, nesse caso, porque a maioria dos ministros daquele tribunal decidiu dar de ombros à recomendação da assessoria técnica pela rejeição das leniências.

Em meio a esse festival de desencontros, não raro, a mão direita desautorizou a mão esquerda, ou a cabeça meneava afirmativamente enquanto o indicador, como para-brisas em dia de chuva torrencial, dizia não.

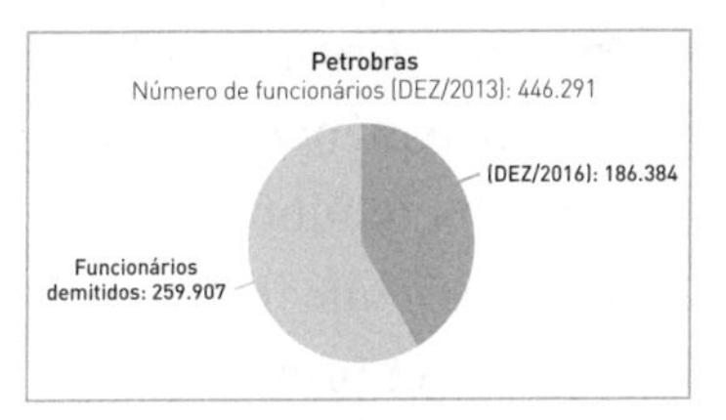

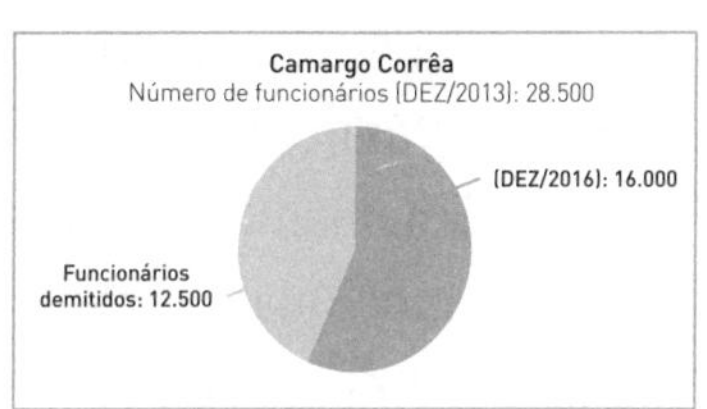

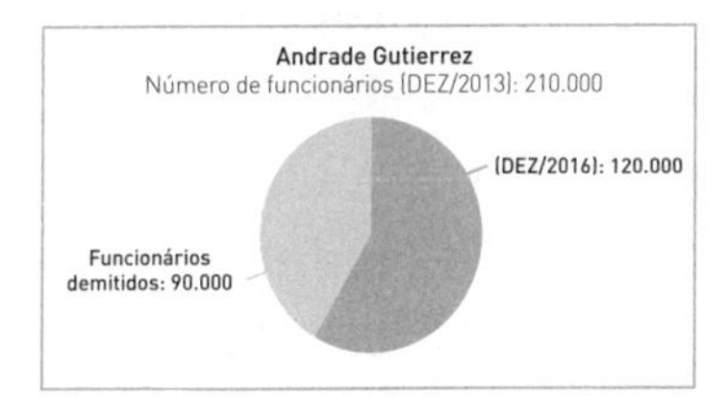

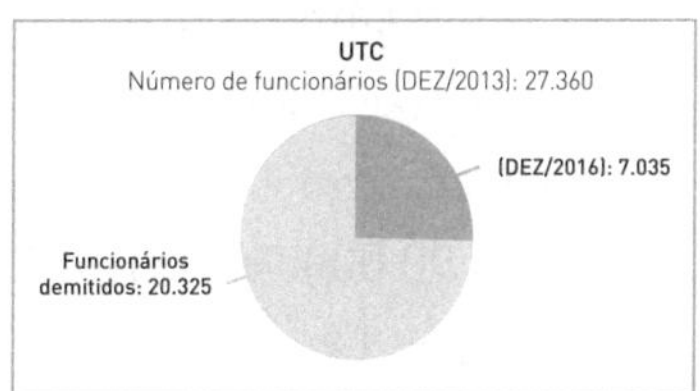

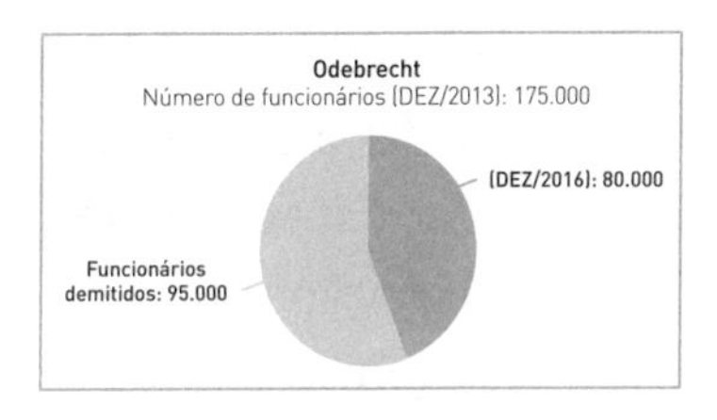

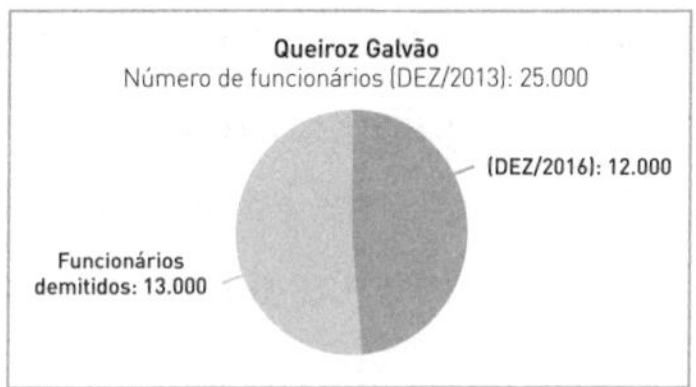

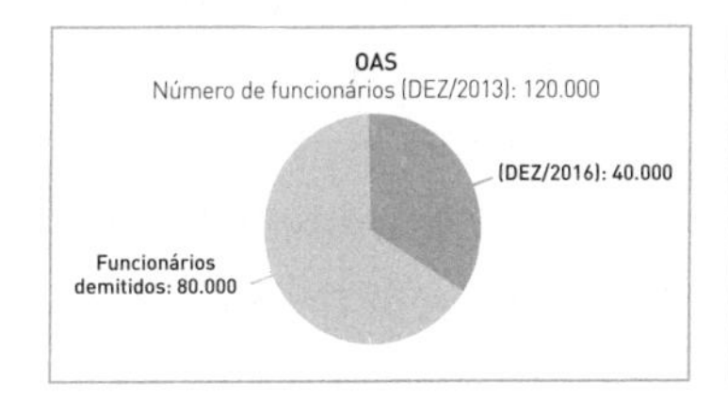

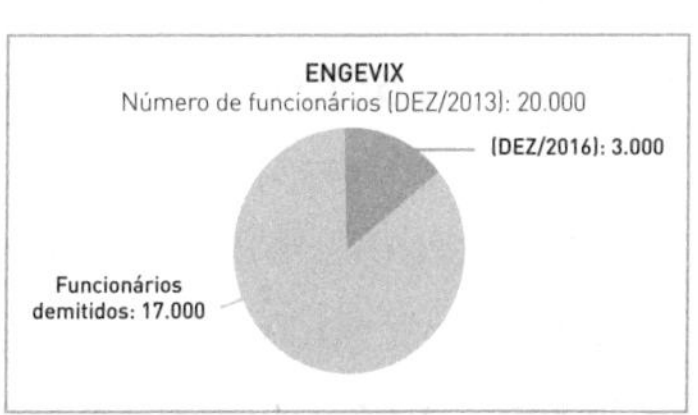

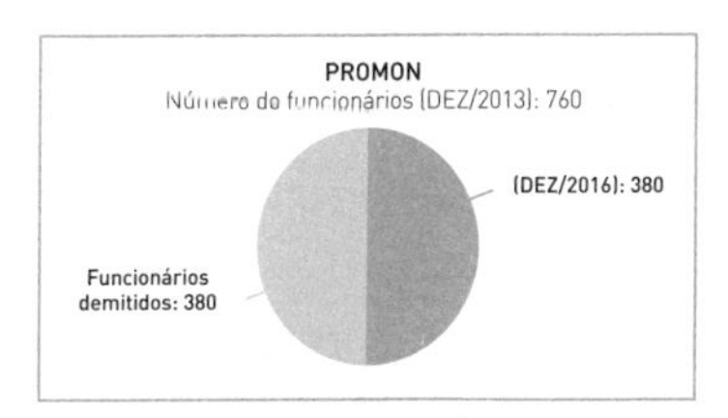

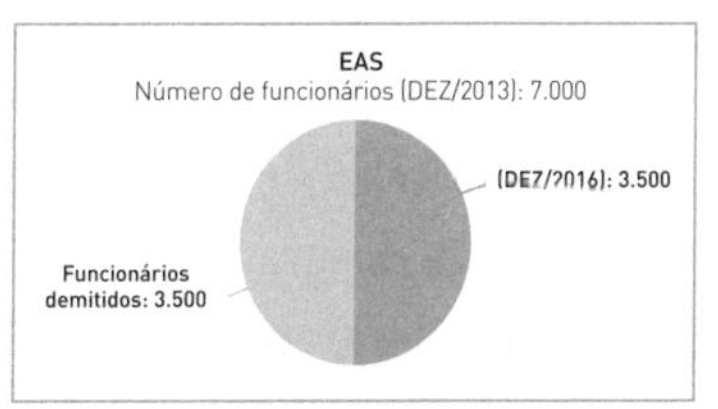

Fonte: *O Estado de S. Paulo.*

Gráficos: Jurilab

Eu vi a 5ª Câmara de Coordenação e Revisão do Ministério Público confirmar acordos de leniência que foram solenemente desprezados por procuradores e por juízes, ainda que de modo transitório, até que instâncias superiores do Judiciário os levassem a cumprimento.

Com o caminhar da carruagem, as empresas ficaram pelo meio do caminho, e com elas a sua viabilidade.

A Camargo Correa demitiu 12.500. A Andrade Gutierrez, 90.000. A UTC, 20.325. A Odebrecht, 95.000. A Queiroz Galvão, 13.000. A OAS, 80.000. A Engevix, 17.000. A EAS, 3.500 e a Promon, apenas 380, a metade dos seus 760 empregados.

Tudo isso enquanto a Skanska, uma das estrangeiras envolvidas na Lava Jato por superfaturar a manutenção de plataformas da Petrobras, vencia a licitação para realizar obras de conservação do Hyde Park em Londres.

A cidade de Londres não viu problema em contratar a empreiteira sueca, corrupta no Brasil. Mas as empresas brasileiras, na mesma situação, já não mais serviam, segundo nossos elevadíssimos padrões de probidade. Ficaram e se encontram no limbo, à margem da presença de deus, impuras para operar, até que qualquer leniência fosse possível. Agora, demolido o mercado nacional de infraestrutura, encontram-se prostradas diante da escassez de obras e de investimentos.

É uma desgraça injustificável.

Uma desgraça setorial com efeitos gerais para o mercado de trabalho e para toda a economia do país. Mais do que isso, a infraestrutura física é um parâmetro dos avanços civilizatórios. A desaceleração ou a paralização de obras de infraestrutura é, portanto, o retrato do retrocesso.

Nós não apenas refreamos o desenvolvimento do mercado de infraestrutura, nós o desmantelamos.

Que não se diga, para amansar os revoltos, que, no capitalismo, um processo de seleção natural levará inexoravelmente à prevalência dos mais fortes. E que isso é bom.

O mercado brasileiro de infraestrutura não será reorganizado tão cedo. As empreiteiras da Lava Jato não serão de súbito substituídas por colossos empresariais estrangeiros, exemplos de honestidade e de eficiência, simplesmente porque não é possível sanear, senão no longo prazo, o profundo desarranjo na infraestrutura jurídica.

As empreiteiras da Lava Jato venceram, para o bem ou para o mal, certo ou errado, certames licitatórios. São donas dos principais projetos de infraestrutura do país. Alguns deles já desenvolvidos e em operação, tantos outros inconclusos ou sequer começados.

A alienação de projetos concluídos será dificultada pela situação de insolvência por que passam muitas das empresas e, por consequência, pelo risco de sucessão que uma venda poderá acarretar. Isso certamente afastará os adquirentes mais resistentes a riscos.

A devolução de projetos inconclusos ou sequer iniciados pressupõe a sua retomada pelo governo – não sem resistência das empreiteiras – e a realização de novas licitações. Tudo isso levará tempo e custará muito dinheiro aos cofres públicos.

Transformamos, portanto, voluntária ou inadvertidamente, um quadro de crise transitória, de oportunidade para depuração do cenário empresarial brasileiro, num drama estrutural, institucionalizado e que requer soluções de difícil adoção, porque exigem a mudança de políticas públicas, sob ampla discussão, no âmbito dos processos legislativos, com a participação de inúmeros grupos de pressão. E pior, no meio da maior e mais tenebrosa tempestade de que se tem notícia na história deste país.

Tudo isso acontece enquanto se deterioram os indicadores macroeconômicos e, no contexto de um amplo desequilíbrio das contas públicas, retrai-se drasticamente a capacidade de investimento do Estado.

A tática do governo incumbente, o seu enfrentamento da crise, é um deslocar de cobertor, para aquecer as partes nobres do corpo, em prejuízo das menos importantes, segundo o seu juízo. É isso, e apenas isso o que explica a aprovação de uma reforma trabalhista que cassa direitos assentados há décadas e que provocará uma profunda descoordenação entre capital e trabalho no país.

É compreensível que ela seja aplaudida pela macroempresa, como mais uma das muitas benesses de um Estado sempre à sua disposição. Curioso, todavia, que também o façam os micro, pequenos e médios empresários massacrados pela burocracia estatal, pelo custo escorchante do dinheiro, pela falta de estabilidade econômica e pela incoerência das posturas públicas. Talvez o façam inspirados por alguma racionalidade frouxa, segundo a qual algum alívio é melhor do que nenhum, ainda que o alívio de uns signifique o martírio de muitos. E sem perceber que as nossas taxas de concentração econômica são um buraco negro, que os deverá engolir sem pestanejar.

Como aqui maldade pouca é bobagem, a perda massiva de postos de trabalho, para a qual contribuiu o combate brasileiro à corrupção – o *bancorrupt* –, tornou-se mote e oportunidade para ampliar o massacre do trabalhador, sob a ameaça despudorada: "Ou direitos, ou empregos!"

As demissões em massa, como disse, refletiram em todos os indicadores econômicos. O portal de notícia da Globo, o G1, informou que quase 3 milhões de vagas formais de trabalho foram fechadas em 2015 e 2016.[12]

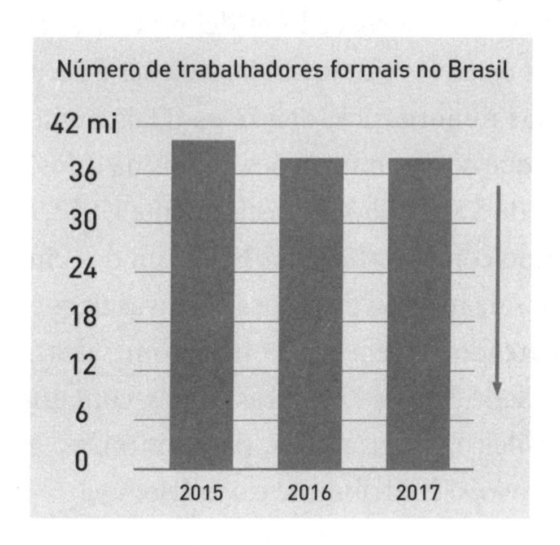

Fonte: G1 (Portal de notícias do Grupo Globo)

Gráficos: Jurilab

O Ministério do Trabalho, fonte dessa matéria, afirmou que, em todas as faixas etárias acima de 25 anos, constatou-se um saldo negativo na geração de empregos. E a tendência de fechamento de postos de trabalho se verifica desde 2015, ano importante para a Operação Lava Jato.

O corte na folha decorreu evidentemente de um desaquecimento dos negócios e, em seguida, de quedas brutais de receita.

A empresa que mais perdeu valor foi precisamente a maior vítima: a Petrobras. Estima-se que ela tenha perdido R$436.600.000.000,00, sim, quase R$440 bilhões do valor que o mercado lhe atribuía nos tempos que antecederam a Lava Jato.[13]

A petroleira nacional, a despeito de vandalizada por administradores e fornecedores delinquentes, submeteu-se a ações coletivas em outras jurisdições e aceitou pagar a acionistas minoritários, dentre os quais muitos fundos abutres – que compraram ações depois da eclosão da crise –, mais de R$10 bilhões, precisamente US$2,95 bilhões num acordo controvertido nos EUA, um dos cinco maiores acordos da história das ações coletivas naquele país.[14]

O "mercado" recebeu a notícia com salvas de tiros, mas a verdade é que a Petrobras pagou, com dinheiro do povo brasileiro, espertalhões, para vitimizar, mais uma vez e de novo, o contribuinte e o erário.

Os aplausos dos investidores privados se explicam porque a companhia, ao aquiescer com o bilionário pagamento indevido, evidenciou a sua disposição de privilegiar interesses do mercado, a exemplo da primazia da geração e da distribuição dos lucros, em detrimento dos fins públicos e das políticas de Estado que a Petrobras –

na condição de sociedade de economia mista, um ente da Administração Pública Indireta – deveria preferir.

O quadro a seguir mostra a importância e a magnitude do acordo celebrado pela Petrobras nos EUA, mas é ainda mais elucidativo porque demonstra que nenhuma das demais empresas ranqueadas é estatal, persegue fins públicos, submete-se a uma política de Estado. Quase todas as outras se valeram de algum expediente para enganar os seus investidores. A Enron, a Cendant e a WorldCom se meteram em esquemas de fraude contábil, cuja finalidade era maquiar resultados, para persuadir investidores a comprar suas ações ou mantê-las em suas carteiras.

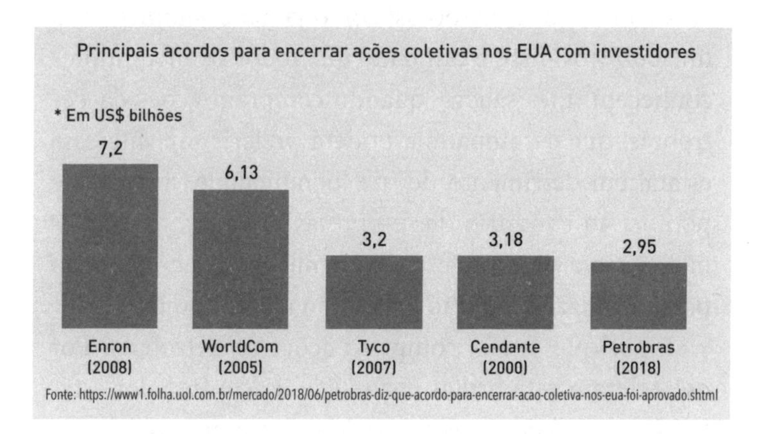

Fonte: *Folha de S.Paulo*

Gráfico: Jurilab

A Tyco, é verdade, foi vampirizada por seus controladores e principais executivos, que tentaram, em seguida, manter a roubalheira debaixo do tapete, por meio de fraudes contábeis, mais uma vez para enganar investidores.

A situação da Petrobras é muito distinta.

A Petrobras é estatal, é controlada pelo Estado. Está sujeita, portanto, a um duplo regime de informação: ao regime de informação de mercado – ao qual todas as companhias abertas se submetem –, mas também a um regime político da informação, porque a ela se aplica a Lei de Acesso a Informação – Lei n.º 12.527/2011 –, com o que, a depender do interesse público, dadas informações poderão ser classificadas e, portanto, não reveladas aos investidores, ao mercado e ao público em geral.

Além disso, a Petrobras, como já disse, submete-se a fins públicos. Esse é um dado que todos os investidores conhecem. Eles sabem, quando compram ações da Petrobras, que a companhia poderá preferir um interesse estatal em detrimento de sua lucratividade, justamente porque, ao contrário das empresas privadas, as estatais não existem para preferencialmente gerar lucros, senão para viabilizar a atuação do Estado na economia.

E por que, então, compram ações da Petrobras? Por que toleram essa brutal ingerência do controlador estatal? Por que aceitam os riscos de seus contumazes desvarios? Ora, fizeram-no – e continuam a fazê-lo – para se aproveitar dos lucros do monopolista!

Aceitam a primazia do interesse público, sob a expectativa de que o monopólio compense seus efeitos colaterais adversos.

A Petrobras é, portanto, um ponto fora da curva. É uma empresa muito diferente de suas concorrentes ao posto da maior pagadora de indenização a acionistas. E isso, sem contar que todas as outras foram massivamente indenizadas pelos administradores que as manejaram para o mau caminho, que as exploraram e que abusaram da confiança de seus acionistas.

Nós, aqui, não fomos capazes de prover ressarcimento integral à Petrobras, em que pesem os músculos, o ímpeto e as boas intenções do nosso combate à corrupção.

A companhia declarou uma perda, decorrente da pilhagem a que se submeteu, da ordem de R$6 bilhões.[15] O número é controverso, mas é muito menor do que a indenização que a companhia aceitou pagar, no também controverso acordo de Nova Iorque, a pouco mais de quarenta acionistas – jamais a todos os minoritários –, em meio a outras ações coletivas ainda não resolvidas. É infinitamente menor do que as perdas que lhe infligiram os ataques à reputação, a demolição desmoralizante, que proseou sobre a mais eficiente exploradora de petróleo em águas profundas, a dona da maior reserva de combustíveis fósseis em áreas pacíficas – o pré-sal –, a maior empresa brasileira, como se fora uma velharia ineficiente, inútil e plenamente descartável.

O gráfico a seguir dá conta de uma comparação das disparidades entre as perdas com a corrupção e os ganhos com o seu combate.

Esse estado de coisas, todavia, jamais deverá inculcar a ideia de que o combate à corrupção é contraproducente e, portanto, indesejável. Mas descarna a ineficiência do combate em concreto, de nosso modo peculiar de combate à corrupção, o *bancorrupt*, que dissipa riquezas, que destrói o valor dos nossos ativos, que é prenhe de consequências indesejáveis e plenamente evitáveis.

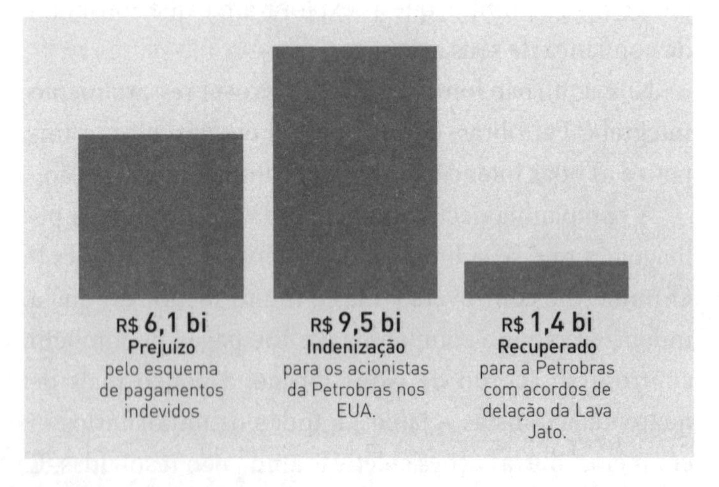

Fonte: G1 (Portal de notícias do Grupo Globo)

Gráficos: Jurilab

A conjunção dos efeitos sensíveis desse combate puramente repressivo, desse ataque que despreza planejamento e continuidade, vazio de racionalidade e de cálculo, que desborda os limites da retórica à luz dos números colecionados, exige soluções, demanda um plano de tratamento do problema. Um problema que, repito, não é imputável a pessoas, a instituições, mas ao funcionamento do Estado no Brasil, que padece de um mal crônico de desarticulação. Não é aceitável que a polícia investigue, que o promotor acuse, que o juiz julgue, e que todos os demais entes que compõem o aparato de controle de combate à corrupção interfiram nessas atividades, sem que todos se coordenem.

A multiplicação de centros defletores de poder em nosso modelo de democracia ameaça uma ruptura anárquica dos poderes do Estado. Rende inútil a divisão funcional de poderes por meio da concreção de efeitos muito diferentes dos fins modelares, dos fins minimamente aceitáveis do Estado.

A reversão desse mau passo, dessa rota de destruição, será a revisão do nosso modo de combater a corrupção, para submetê-lo à ordenação finalística inerente aos sistemas.

Antes, porém, vale compreender, ao menos um pouco, de que modo as técnicas de combate à corrupção aparecem e se desenvolvem.

Conhecer a pequena história do combate à corrupção não nos fará mal. Talvez nos traga luzes, algumas ideias construtivas, um pouco de substância, para pensar os próximos passos.

A PEQUENA HISTÓRIA DO COMBATE À CORRUPÇÃO

A história é muitas vezes contaminada por engendrações implantadas nos anais, contrabandeadas por seus contadores e pelos interesses que representam. Isso não diminui a importância da história, ao contrário, evidencia a magnitude de sua autoridade. A distorção da história, que tende à mentira, à não história, justifica. E, ao justificar, dirige, submete, determina e escreve a história do futuro a partir da não história do passado. Daí a importância da contramentira, da reconstrução honesta do passado, por meio das representações menos vulneráveis, falseáveis, da sua ocorrência.

Este é, em certa medida, um livro de história. Propõe uma história hipotética de eventos recentes, em parte ainda inacabados. Uma história que explica que há, no Brasil, um combate inconsequente à corrupção, que impõe mais danos do que benefícios ao país.

Este livro, portanto, coleciona provas e as articula para afirmar a veracidade dessa hipótese histórica proposta.

Mas para contar a história em curso, a história recentíssima e aberta do combate à corrupção no Brasil, com o franco propósito de melhorá-lo, é necessário recorrer à história das suas influências mais importantes, à afirmação da legislação Antimáfia, na Itália e nos EUA, e da legislação Anticorrupção, sobretudo nos EUA.

As leis de combate à corrupção são filhotes da legislação Antimáfia, que aparece primeiro na Itália e depois nos EUA. Os norte-americanos logo viram que ali havia um produto legislativo, melhor, uma técnica de prevalência, de infiltração e de rendição das soberanias, para a superação dos concorrentes nacionais, amplamente adaptados às mais patológicas relações entre Estado e empresa.

Mas me permitam começar pelo começo.

A expressão "crime organizado", da qual deriva a ideia de "organização criminosa" – hoje institucionalizada entre nós, porque é um conceito legal determinado na Lei 12.846/2013, precisamente a Lei Anticorrupção, e, para além disso, uma realidade sociológica no país –, remete imediatamente à Máfia e, em particular, a uma específica organização mafiosa, tão cara àqueles que, como eu, adoram os filmes do gênero: a *Cosa Nostra*, que se radicou, desde há muito, na Sicília.

A origem dessa antiga organização é controversa e remonta alternativamente – sob disputa – aos normandos, que conquistaram a Sicília em 1061, às Vésperas sicilianas, que espalharam revolta contra o reinado de Carlos I de Anjou, e tomaram a ilha em 1266, ou ainda aos *Beati Paoli*, uma seita secreta, formada por vingadores, justiceiros e sicários, que durante o feudalismo italiano se escamoteavam sob os capuzes da ordem monástica de São Francisco de Paula, patrono dos reinos de Nápoles e da Sicília.

Ainda que de origem duvidosa, a organização estabeleceu, sem dúvida, um verdadeiro mercado de serviços, a partir da necessidade de proteção dos donos de terra, diante da ausência do Estado em boa parte do período que antecedeu a unificação italiana. Essa necessidade era ao mesmo tempo atendida e criada, porque a mão que de início protegia era, incentivada pela evidente utilidade de gerar demanda, a mesma que ameaçava.

A história prova, portanto, que a proteção – o serviço mafioso de proteção – é filha da extorsão. Uma extorsão que é avó, porque o crime compensa, de todas as outras atrocidades cometidas pela Máfia desde então.

A Máfia assumiu, antes do aparecimento do Estado italiano, os espaços que, mais tarde, compartilharia com o governo e alguns dos seus desdobramentos, como a polícia, o acusador e o magistrado.

A Máfia é, portanto, na Itália, mais velha do que o Estado, com o qual travaria – por muito tempo e naturalmente, senão até hoje – uma "guerra sentada", de faz de contas. Lá, a Máfia se confundiu com o Estado, não apenas porque o antecedeu, mas sobretudo porque o cooptou, provavelmente desde a sua inauguração, e o superou em eficiência e credibilidade. O poder formal se submeteu ao menoscabo da comunidade administrada, diante de sua reconhecida incapacidade de solucionar os mais variados problemas. Que solução senão recorrer ao *padrino*?

Não à toa, as franquias da Máfia, especialmente no novo mundo, vicejaram em ambientes onde o Estado claudicava, em meio à pobreza e à desigualdade social, na condição de distribuidoras da justiça e de promotoras da ordem e da segurança.

A Máfia italiana, que genericamente designa o conjunto de grupos mafiosos naquele país – *Cosa Nostra*, *Camorra*, *'Ndrangheta* etc. –, destacou-se justamente pela capacidade de se institucionalizar, de se afirmar como uma organização – ou pluralidade de organizações articuladas – perene e tentacular na Itália, e fora dela. Desenvolveu-se e floresceu genuinamente como organização empresarial criminosa transnacional, cuja malha estrutural é tecida a partir de regras – amparadas por punições e por prêmios –, de procedimentos – mímica dos ritos secretos das sociedades iniciáticas – e de uma hierarquia. Apareceu como governo e se transmudou num dublê de governo, por meio da infiltração nos sistemas sociais, econômicos, políticos e jurídicos, acoplada aos seus agentes e elementos estruturais modelares – ou seja, aqueles concebidos idealmente pela Política e pelo Direito. O seu excepcional sucesso econômico, potencializado nos momentos de crise, foi capaz de estabelecer, a partir de uma organização inicial, células replicantes e derivações nas mais variadas regiões italianas e também fora daquele país.

O combate à Máfia é, antes de tudo, uma disputa de poder, o cabo de guerra entre o poder formal e o poder material. É a oposição entre estruturas sociais inventadas pela lei - sob um dado modelo político-jurídico de produção normativa - e estruturas sociais espontâneas, à margem da lei. É a expressão institucional do processo de superação do poder material pelo poder formal, com o que o último - em tese - deve desaparecer, para determinar uma ideal sobreposição dos poderes formal e material.

A primeira produção do legislativo italiano que combate a Máfia e a sua atividade de modo sistemático, sob a concepção de delinquência organizada - ou seja, sob a ideia de que o crime é produto de organização e de atividade massificada -, aparece em 1982, com a aprovação da Lei Rognoni-La Torre, a Lei nº 646.

É bem verdade que antes disso a Lei nº 1423 de 1956 - Medidas de prevenção no confronto de pessoas perigosas para a segurança e moralidade públicas - já tocava o assunto. Assim como a Lei nº 575 de 1965, que se contrapunha às organizações criminosas de tipo mafioso. Em ambos os casos, a técnica regulatória centrava-se nas pessoas, não nas organizações e no seu funcionamento.

Apenas depois do homicídio de Pio La Torre[16] e de Carlo Alberto Dalla Chiesa[17] é que seria aprovada a Lei Rognoni-La Torre, para determinar medidas de caráter patrimonial e de integração com a legislação preexistente, assim como uma comissão parlamentar.

Essa lei introduziu no ordenamento jurídico italiano o crime de associação criminosa do tipo mafioso, bem como medidas de sequestro e de confisco de bens. A partir dela, o foco passaria a ser a organização, sua maneira de agir e as pretensas técnicas capazes de asfixiar a organização até a morte.

O Decreto-lei nº 629 de 1982, convertido na Lei nº 726 de 1982, propôs medidas urgentes à coordenação da luta contra a delinquência mafiosa e, nesse contexto, criou um Alto Comissariado, cuja competência seria ampliada pela Lei nº 486 de 1988, subordinado ao Ministério do Interior, com o fim de investigar a própria administração pública e as instituições financeiras públicas e privadas.

A Lei Gava-Vassalli, de 1990, reforçou as medidas patrimoniais e pessoais, aparelhando o combate contra a Máfia, sobretudo pela imposição de medidas de transparência a entes locais e regionais. Outras medidas apareceriam em 1991, para relativizar os sigilos fiscal e societário, normalmente empregados para esconder o dinheiro de grupos mafiosos – Lei nº 197 de 1991 –, aumentar o compartilhamento de informações entre órgãos de controle – Lei nº 410 de 1991 – e para aperfeiçoar o programa de proteção a testemunhas – Lei nº 82 de 1991.

Um ataque a bomba realizado pela Máfia siciliana, orquestrado por Totò Riina,[18] próximo à comuna de Capaci, na província de Palermo, no dia 23 de maio de 1992, matou o juiz Giovanni Falcone, a sua esposa, Francesca Morvilo, e três agentes de segurança. Aquele que ficaria conhecido como o Massacre de Capaci determinou um imediato recrudescimento da legislação Antimáfia italiana, com o advento da Lei nº 356 de 1992.

O apoio da opinião pública foi determinante para a imposição de penas mais duras e de um regime carcerário pleno de restrições, para além de drásticas medidas de natureza patrimonial, especialmente para determinar bloqueio cautelar de ativos.

A Lei nº 20 de 1994 criaria, por fim, a "*confisca allargata*", que permitiria o bloqueio de quaisquer ativos à disposição do condenado, independentemente de sua titularidade formal e a despeito da prova de origem lícita.

Essa ampliação drástica dos instrumentos de controle seria adiante modificada, em especial com a promulgação da Lei nº 109 de 1996, que tratava da disposição e da gestão de bens confiscados, submetendo-os às finalidades da justiça e determinando a sua reutilização em consonância com os fins sociais, sob a gestão de organizações regionais sem fins lucrativos.

Já neste século, algumas novas intervenções legislativas foram, sob intensa especialização e sempre atentas aos novos expedientes do crime organizado, essenciais:

1. ao incremento de mecanismos processuais, de modo a assegurar a concreção das leis Antimáfia, conforme Leis nº 125 de 2008 e nº 52 de 2010;

2. à criação de mecanismos preventivos contra infiltração mafiosa na administração e mesmo para impedir que a administração contratasse, proposital ou inadvertidamente, produtos e serviços de empresas ligadas à Máfia – Leis nº 7, 94 e 195 de 2009, Leis nº 26 e 136 de 2010 e Lei nº 190 de 2012; e

3. ao remodelamento da legislação eleitoral, para impedir a realização de propaganda eleitoral por pessoas sujeitas a medidas de prevenção – Lei nº 175 de 2010.

Esse aperfeiçoamento legislativo culminou com a promulgação de um Código Antimáfia – Decreto-lei nº 159 de 2011 –, que compilou e articulou as leis vigentes, provendo-lhes sistematicidade, o que seria ainda completado pela Lei nº 3 de 2012, que trata da associação das organizações mafiosas com as atividades de usura e extorsão.

É curioso o paralelismo temporal e objetivo que há entre as leis antimáfia italianas e aquelas que apareceram, também ao longo do século XX nos EUA.

A Máfia italiana, sobretudo ela, encarregou-se – no bojo da imigração para o novo mundo – de estabelecer um elo cinematográfico entre os dois países. De 1880 a 1914, 4 milhões de italianos imigraram para os EUA, a sua maioria vinda do sul, da Sicília, fugindo da grave crise econômica e política que a unificação, além de outros fatores, causaria naquela região.

A maioria dos milhões de imigrantes da virada do século se estabeleceram em cidades do nordeste americano, a exemplo de Nova Iorque e de Chicago, onde se apinhavam como sardinhas enlatadas, em bairros que ficariam conhecidos como *Little Italies*.

Na *Mulberry Street*, no coração do *Little Italy* nova-iorquino, onde hoje se come tranquilamente o melhor *cannoli* do mundo – justo onde Vincent Corleone assassinou Joey Zasa, do alto de um cavalo, disfarçado de policial, na parte 3 do filme *O poderoso chefão* –, viviam milhares de imigrantes, em meio à tuberculose, à falta de ventilação e de aquecimento adequados. Ambiente perfeito para o desenvolvimento criminoso das franquias americanas da Máfia.

Mas a relação entre os dois países não se resumiria ao elo mafioso, a uma inadvertida importação, fruto do massivo movimento migratório. O tratamento legislativo do problema também encontrou soluções muito parecidas nos dois países. Os resultados, contudo, não poderiam ser mais distintos.

As franquias mafiosas em atuação nos EUA, particularmente nas primeiras décadas do século XX, aproveitavam-se de uma presença estatal esmaecida, sobretudo entre as vizinhanças mais pobres - lotadas de imigrantes italianos -, tanto mais empobrecidas pelo *crash* do mercado acionário no começo dos anos 1930, para espalhar o medo e, em seguida, vender segurança.

Não nos esqueçamos - ainda que a nossa simpatia pelo personagem nos force a relevar - de que, na parte 2 do filme *O poderoso chefão*, Vito Corleone mata Don Fanucci para tomar-lhe o negócio de "segurança".

A extorsão era, então, uma das principais atividades criminosas, boa parte da empresa, a partir da qual surgem organizações criminosas naquele país. Seguiu, ainda por algum tempo, como o carro-chefe do crime, depois que a Lei Seca, que vigeu de 1920 a 1933 - e deu causa à 18ª Emenda à Constituição norte-americana -, para proibir o fabrico, o transporte e a venda de bebidas alcoólicas, foi revogada. É certo, todavia, que no seu período de vigência proveu motivos para a expansão de organizações criminosas as mais lucrativas.

O fato é que, durante todo o século XX, o aparato de combate ao crime organizado naquele país lutou contra as chamadas ramificações mafiosas tradicionais, primeiro a Máfia italiana, depois a Máfia russa, a Yakuza e os Tongs da China, todas elas ciosas dos lucros que apenas uma economia em vertiginoso crescimento poderia propiciar.

Esses masterfranqueadores do crime organizado planetário se dedicaram a um sem-número de atividades criminosas. As mais proveitosas, sobretudo nos anos 1950 e 1960, eram a agiotagem, o jogo ilegal, o tráfico de drogas, a prostituição, o contrabando, a fraude e ela, ainda ela, a boa e velha extorsão. Isso, evidentemente, sem falar nos roubos, nos assassinatos por aluguel e na lavagem de dinheiro.

Esforços estatais mais intensos para combater essas empresas do crime começaram já nos anos 1950 – ainda que iniciativas esparsas tenham ocorrido desde os meados dos anos 1930 –, primeiramente por meio do Comitê Especial do Senado para Investigar o Crime Organizado e o Comércio Interestadual, presidido pelo senador Kefauver, e, mais tarde, nas audiências sobre crime organizado, conduzidas pelo senador McClellan, em 1965 e 1966. Ao que se seguiu a criação da Força Tarefa sobre o Crime Organizado, em 1967, que deu conta do fracasso dos trabalhos de combate à criminalidade e de sua tendente expansão no país, ainda que os números de investigados e indiciados pela Seção de Extorsão e Crime Organizado do Departamento de Justiça tivessem subido de 121, em 1961, para 1.198, em 1967 e o número de condenados crescido de 73 para 477 no mesmo período.

Esclarecedor que as anotações da Força Tarefa tenham dissociado o incremento das capacidades repressiva e punitiva do aparato de combate, já nos anos 1960, da eficácia desse modelo para a contenção do crime organizado.

A punição e, antes dela, a expectativa de punição não determinam, exclusivamente, os comportamentos. Não são, portanto, a despeito de importantes, instrumentos definitivos de conformidade. Outras estruturas dissuasórias da conduta indesejada são necessárias para um combate plenamente eficaz.

É claro que a supressão ou ao menos a mitigação de incentivos à conduta se encontra no âmago de uma estratégia bem-sucedida. A impunidade, todavia, é apenas um dos elementos de um sistema perverso de incentivos à criminalidade. O combate à impunidade sempre nos pareceu a solução para a criminalidade porque, por aqui, nem isso conseguimos.

A certeza de punição é definitivamente um elemento central, mas não é tudo.

Uma das primeiras intervenções do legislativo americano no combate à corrupção se deu com a promulgação da chamada *Omnibus Crime Control and Safe Streets Act*, em 1968. Foi importante porque:

1. criou um orçamento capaz de alimentar com recursos os organismos estaduais e federais de combate ao crime organizado; e

2. permitiu que as agências federais realizassem escutas ambientais.

A ampliação dos mecanismos de detecção do ilícito é elemento essencial da punibilidade. A iniciativa foi importante, mas se mostrou insuficiente.

As coisas mudam de figura com a promulgação, em 1970, da Lei de Controle ao Crime Organizado. Essa lei estabeleceu, pela primeira vez, uma correlação imediata entre crime organizado e corrupção. Fez mais, ampliou a competência dos órgãos americanos de combate ao crime organizado – termo que, então, passou também a se referir à corrupção –, para desbordar limites jurisdicionais nacionais, em direção a atos praticados em outros países. Criou um programa de proteção e de imunidade a testemunhas – que mais tarde ficaria conhecido como WITSEC, *Witness Security Program*. E, no seu título IX, introduziu um diploma legal, a *Racketeer Influenced and Corrupt Organizations Act*, a RICO – algo como Lei de Organizações Corruptas e Dedicadas à Extorsão –, que influenciaria muito, quarenta anos depois, a nossa Lei de Organização Criminosa.

A RICO foi definitivamente a pedra angular do combate ao crime organizado – e também à corrupção – nos EUA. Estabeleceu uma tipologia própria, por meio da cumulação de condutas que caracterizem "*racketeereing activity*".

É inovadora porque, para além de tratar o crime organizado sob o seu ponto de vista sociológico – coisa que a *Omnibus Act* já fazia –, por meio da ideia de entidade – de uma estrutura organizacional com características distintas, identificável –, também se refere a esse ente como um elemento dinâmico, como um fenômeno dos sistemas sociais e econômicos, como empresa, que exerce uma atividade econômica lucrativa. Atividades econômicas criminosas, que compõem um extenso rol alimentado por inúmeras leis estaduais e federais. Basta a incursão em duas dessas atividades para que a RICO se aplique, ative toda uma robustíssima musculatura estatal e determine a aplicação das pesadas penas previstas na lei.

À RICO somaram-se leis dedicadas à prevenção, detecção e punição da lavagem de dinheiro, assim como ao bloqueio de bens. Leis que tiveram papel fundamental no desmantelamento do que me referi como sistema de incentivos.

Não é possível criar e manejar uma organização empresarial dedicada ao crime sem meios de produção, em especial sem dinheiro. Mais do que isso, de nada adianta fazê-lo se os seus lucros não puderem ser aproveitados, se não puderem ser depurados, para ingressar e trafegar na economia formal.

Um pesado trabalho para embaraçar a lavagem de dinheiro e a apreensão de ativos do crime organizado asfixiaria a empresa criminosa.

É uma revolução, não há dúvidas, na disciplina jurídica do crime, porque o concebe como uma organização empresarial em atividade, cujo objeto é ilícito. E age para privá-la de seus requisitos essenciais de causalidade.

Não há crimes sem meios e sem proveito!

Nada, porém, muito diferente do que se fez na Itália, em termos de avanço legislativo. Uma tecnologia que, aliás, nós transplantamos para cá, sempre sob influência de nossas costumeiras malemolência e falta de capricho, com as Leis nº 9.613/1998 e nº 12.683/2012, que tratam de lavagem de dinheiro, assim como por meio das já referidas Leis de Organização Criminosa e Anticorrupção.

Por que, então, a despeito da simetria de tratamento legislativo do crime organizado na Itália e nos EUA, na Itália o crime se infiltrou nas entranhas da burocracia estatal, até o seu mais alto escalão, e nos EUA não?

Bem, a pergunta embute uma premissa: a de que organizações empresariais, que exercem atividades lícitas, mas disputam a preferência dos governos, estão fora do domínio semântico do crime organizado. Ou seja, em nenhuma hipótese, por mais que isso pareça plausível, essas organizações empresariais – as grandes corporações, em especial o chamado *Corporate America* – poderão ser consideradas criminosas, para os fins da pergunta que lancei, em razão do domínio e da prevalência política planetária que alcançaram. Estabelecida essa premissa, definida essa verdade convencional, então, a pergunta contém um fato – indisputado, porque é fruto do que acabamos de combinar – e, portanto, demanda uma resposta.

A resposta me parece simples.

Na Itália, o capitalismo e o capitalista disputaram com o crime organizado, ombro a ombro, o processo de infiltração – cooptação – governamental e de tomada do Estado. E ambos, como parece natural, sujeitos mais a obstáculos que se lhes impunham uns aos outros – os capitalistas aos criminosos e os criminosos aos capitalistas –, ocuparam espaços institucionalizados na estrutura estatal. Passaram a conviver no poder.

Todo o convívio determina contágio e assimilação recíprocos. Os conviventes sabem disso, porque se emporcalham uns dos outros, ao ponto de indistinção.

Já nos EUA, uma plutocracia – que se caracteriza pelo exercício do poder ou do governo pelas classes mais abastadas da sociedade –, onde os super-ricos determinam os desígnios do Estado, o capital tratou de promover um completo e absoluto expurgo das organizações criminosas, para que com ele não concorressem pela dominação estatal.

Esse expurgo se deu, evidentemente, por meio da legislação a que me referi acima, também pelo empoderamento das agências de combate ao crime – no nível dos estados e no nível federal –, às quais o Estado proveu dinheiro, pessoal especializado, tecnologia e armamento de ponta, mas, sobretudo, pela monopolização dos acessos ao poder institucionalizado.

Chamo aqui a atenção do leitor. Esse é um importante ponto de inflexão, que me parece muito explicativo.

A disciplina jurídica da política, que determina as características da peculiar democracia norte-americana, é precisamente o que distingue o bem-sucedido destino do combate à corrupção e ao crime organizado naquele país do malfadado combate italiano à corrupção e ao crime organizado.

Não houve, nos EUA, uma *Mani Pulite* (a Operação Mãos Limpas).

A Operação Mãos Limpas, vale lembrar, foi o desdobramento inusitado do Caso Tangentopoli – na expressão cunhada por Piero Colarico, famoso cronista do *la*

Repubblica –, que, ao investigar uma concertação entre a Máfia, o Banco Vaticano e a loja maçônica P2, que usava o Banco Ambrosiano para a lavagem de dinheiro, evasão de divisas e financiamento de atividades criminosas, revelou esquema de brutal corrupção naquele país.

A operação levou à prisão inúmeros políticos e empresários, dentre eles o primeiro-ministro e líder do Partido Socialista Italiano, Bettino Craxi, determinando o fim da Primeira República Italiana (1948-1994).

A *Mani Pulite* deu causa também a profundas mudanças formais nos quadros político-partidários, com o desaparecimento de vários partidos políticos, e, mais importante, a ascensão ao poder do magnata Silvio Berlusconi – controlador da Mediaset, dos principais meios de comunicação da Itália, de inúmeros bancos, empresas de entretenimento e também da famosa equipe de futebol Milan.

Berlusconi foi primeiro-ministro três vezes, desde 1994, sob intensas acusações de envolvimento com a Máfia e de promover um populismo antidemocrático.

Responde por nenhuma mudança no estado de coisas que a Mãos Limpas deflagrou durante a Primeira República.

Nada mudou na Itália, ainda que os efeitos devastadores de um combate puramente repressivo à corrupção ainda – e por muito tempo – se sintam por lá.

Nos EUA, por outro lado, os escândalos políticos estão muito longe de quaisquer relações aparentes entre a classe política e o crime organizado. Donald Trump, suas atrizes pornôs e a mão santa de Vladimir Putin. Bill Clinton e a estagiária. Richard Nixon colando na prova por meio de grampos telefônicos. São todos episódios de uma delinquência puramente política.

A última suspeita de forte influência do crime organizado na vida política norte-americana se refere ao seu suposto – e altamente conspiratório – envolvimento com a morte de John F. Kennedy. E isso, note-se, no ápice do enfrentamento entre o FBI e a Máfia. Um enfrentamento que está no passado, superado pela morte ou pelo encarceramento perpétuo dos principais líderes mafiosos e pela asfixia das principais organizações mafiosas naquele país.

É claro que lá ainda existem criminosos e organizações criminosas, mas funcionam à distância do Estado – isso, evidentemente, se dessas organizações criminosas dissociarem-se as grandes empresas.

Esses fatos escoram a minha tese.

Nos EUA, diferentemente da Itália, o capital engendrou instituições e mecanismos de Estado capazes de lhe reservar o que há pouco chamei de monopólio dos acessos ao poder institucionalizado.

E o mais relevante para a causação desse resultado – dessa dominação exclusivista do Estado pelo capital –, para além do hipertrófico aparato de combate ao crime organizado, foi a construção de uma legislação que disciplina a política, por meio da racionalização do financiamento de campanha e do *lobby*.

Os capitalistas que mandam naquele país perceberam, desde logo, a importância de ter para si o Estado, mas, para além disso, os danos que a infiltração do crime e dos criminosos comuns no Estado causariam nas suas empresas e nos seus lucros. Um risco perene de instabilidade e de crise.

Como diria Mario Amato, importante líder empresarial brasileiro, ao cunhar uma frase que ouvi ainda garoto, mas que nunca sairia da minha cabeça, o "capital é covarde".

A frase, no dia em que foi dita, causou perplexidade.

Achei estranho que o então presidente da Federação das Indústrias do Estado de São Paulo (FIESP) maltratasse assim, tão despudoradamente, os seus representados. Mas não, com o tempo entendi que ele me havia dado uma explicação essencial, inusitada pela sua sinceridade. Lecionava sobre os fundamentos do comportamento capitalista, que prefere estabilidade e previsibilidade ao risco, que foge de mercados e de situações de risco e de descontrole.

É essa a racionalidade, ao menos a de um capitalismo esclarecido.

Estou certo de que, por aqui, contudo, nem todos ouviram, e se ouviram não entenderam, a lição de Amato.

A imprudência, o desleixo e a falta de visão, todavia, nunca foram defeitos do capitalismo transnacional – globalizante – norte-americano.

CORRUPÇÃO LEGAL

O financiamento de campanhas eleitorais é disciplinado, nos EUA, por meio de leis federais e da atuação de uma agência independente, a Comissão Federal de Eleições – a FEC, *Federal Election Comission.*

Lá, o financiamento de campanha é predominantemente privado, ainda que linhas de financiamento público – sujeitas a limites bastante estreitos – estejam à disposição dos candidatos à Presidência da República – a depender do implemento de condições gerais de elegibilidade –, seja nas primárias, seja nas eleições gerais.

Os pleitos para cargos fora do governo federal são regrados por leis estaduais e municipais. Metade dos estados da União admite algum nível de contribuição empresarial ou sindicalizada de campanha. Há quatro estados que não impõem qualquer limite a essas contribuições: Missouri, Oregon, Utah e Virginia.

As eleições presidenciais de 2008, por exemplo, custaram US$2,4 bilhões. Pouco menos da metade disso foi o que custou, US$1 bilhão, a campanha dos dois principais candidatos: de um lado, Barak Obama, que gastou US$730 milhões aproximadamente, e, de outro, John McCain, com gastos de mais ou menos US$333 milhões.

As eleições de 2016, entretanto, foram muito, muito mais caras. Hillary Clinton captou US$1,4 bilhão contra pouco menos de US$1 bilhão, por Trump. Isso sem contar os outros candidatos.

Quase R$10 bilhões!

A arrecadação de Hillary recebeu 16% em doações de até US$200. Os pequenos doadores representaram para Trump, entretanto, não mais do que 26% do total de doações recebidas. O campeão de pequenas doações, Barack Obama, teve 32% da sua arrecadação daí advinda, contra apenas 5% de Mitt Rommey.

As eleições, nas grandes democracias, definitivamente não são pagas com o dinheiro do povo, não formalmente.

Vamos lá! O dinheiro que financia as campanhas presidenciais nos EUA vem de quatro fontes principais:

1. dos pequenos doadores – que doam até US$200;
2. dos grandes doadores – que doam mais do que US$200;

3. dos chamados comitês de ação política, mais conhecidos como *PACs*, uma abreviação de *political action committees*; e
4. do autofinanciamento – ou seja, por meio do dinheiro do candidato.

Já vimos que as pequenas doações não dão nem para começar. Quem paga a conta são as empresas e, sobretudo, o grande capital.

Essa verdade é obscurecida pela hipocrisia institucionalizada, que pavimenta vias de Direito indiretas à supremacia empresarial nos desígnios da política norte-americana.

A *Bipartisan Campaign Reform Act*, promulgada em 2002, para alterar o *Federal Election Campaign Act*, de 1974 – lei passada no desfecho do Watergate, aquele escândalo do grampo no diretório democrata que levou à renúncia do presidente Nixon – proibiu empresas e sindicatos de realizar contribuições diretas de campanha ou de realizar gastos relacionados às eleições federais. Essas organizações empresariais e de classe podem, todavia, verter recursos para um fundo separado.

Esses fundos separados, quando patrocinados por empresas ou por sindicatos, são conhecidos como *Connected PACs*, ou seja, são comitês de ação política relacionados, financiados por essas entidades. São quase como espaços de descontaminação, os quais, sujeitos a determinadas regras de governo, têm a função de impedir uma influência direta entre o doador empresarial e o candidato. Representam o grosso do financiamento de campanha.

Os *PACs* arrecadaram pouco mais de US$2 bilhões nas eleições de 2016. Dinheiro injetado nas veias dos candidatos e dos partidos, para financiar os pleitos daquele ano.

O ano de 2010 marcou, todavia, o aparecimento de mais um subterfúgio legal – assentado em duas decisões judiciais, de *Citizens United* vs. *FEC* e de *Speechnow.org* vs. *FEC*. São os *Super PACs*: comitês proibidos de fazer contribuições a candidatos ou a partidos, mas autorizados a pagar quaisquer despesas políticas que não entretenham relação com uma dada campanha.

Os *Super PACs* garantem, evidentemente, uma influência contínua do mundo corporativo sobre a política norte-americana, pelo que asseguram financiamento da política nos períodos em que não há pleitos eleitorais a disputar.

Apenas para que se tenha uma ideia de sua importância, em 2012, os *Super PACs* respondiam pela arrecadação de US$349 milhões, dos quais 60% advinham de apenas 100 doadores!

Esse número montará a quase US$690 milhões, em 2018. E adivinhem! Sim, a origem dos recursos é tão ou mais centralizada em grupos e interesses empresariais quanto nos anos anteriores.

Os principais doadores são grandes empresários, suas empresas, senão grupos de pressão, representados por associações, as quais, por sua vez, congregam os interesses de setores empresariais.

É clara, portanto, a prevalência do capital na formação dos governos. Uma prevalência institucionalizada pelas regras que disciplinam o financiamento de campanha, bem como o *lobby* pós-eleitoral. Uma prevalência perene, estrutural, que determina o Estado.

Essa dominação do Estado pelo capital se submete a regras e procedimentos que promovem um eficiente expurgo das informalidades. Assim, se de um lado o capital despudoradamente manda no país, para manejar o Estado segundo os seus interesses, deve, de outro lado, seguir regras rígidas, organizar-se segundo as leis, pagar impostos e submeter-se à vigilância estatal.

Assim, o capital encontrou meios, nos EUA, de inviabilizar a participação do crime organizado nos processos políticos. Para que o Estado acenda velas apenas para um deus.

Esse expurgo da marginália se completa sob a ação da legislação que regula o *lobby* naquele país, em especial o *lobby* pós-eleitoral não financeiro, ou seja, as atividades de pressão e de convencimento de agentes públicos, para os fins de beneficiar interesses legítimos da sociedade civil, dentre eles os interesses empresariais.

Esse tipo de *lobby* dá sustento a uma bilionária indústria de prestação de serviços, que atende clientes de modo a pavimentar caminhos para seus interesses. Esses serviços se relacionam, grosso modo, com o desenvolvimento da atividade legislativa, com o aprimoramento das leis do país e, nesse contexto, a sua capacidade de privilegiar ou desprivilegiar interesses específicos. Serviços que se submetem a uma pesadíssima regulação, sobretudo no que concerne à transparência, cuja inobservância, não raro, dá causa à ruína e à prisão.

Lá, como aqui, muita gente vê no *lobby* a essência da corrupção. Mas lá, diferentemente daqui – onde preferimos a informalidade e as consequências da criminalização do *lobby* –, essas relações entre Estado e sociedade civil estão escoradas, segundo entendimento das cortes, em dois direitos fundamentais de grande importância: a liberdade de expressão e o direto de petição, ambos albergados pela 1ª Emenda à Constituição norte-americana.

Não é à toa que a indústria do *lobby* cresceu exponencialmente a partir dos anos 1970, década marcada pelo aparecimento de todo o arcabouço legislativo que regula o financiamento de campanha e, para além dele, das principais leis antimáfia, a exemplo da RICO.

Hoje, estima-se que apenas em Washington trabalhem ao menos 12 mil lobistas registrados, que normalmente agem sobre membros do Congresso, para representar interesses nacionais e estrangeiros – sim, outras nações podem tentar influenciar a política externa norte-americana –, sob a ideia de que a competição de interesses, observada a paridade de meios, será capaz de revelar o interesse comum, assim como de anular interesses negativos.

Esse era o mantra de James Madison, um dos pais da nação, cantado e decantado em *O federalista*, livro fundacional, que inaugura o modelo norte-americano de federalismo democrático, a articulação entre os estados à formação da União. Um livro de receitas, ao fim e ao cabo, para a harmonização de interesses num país profunda e crescentemente heterogêneo.

O serviço de *lobby*, como disse, submete-se a pesada regulação, em especial a requisitos de revelação sistemática, em grande medida postos na *Lobbying Disclousre Act* – Lei de Revelação do *Lobby*.

Boa parte do que lobistas e empresas de *lobby* – normalmente escritórios de advocacia – fazem é revelar com quem estiveram, por que motivo e a mando de quem. Mas não é só, são obrigados a informar todos os atos preparatórios no desenvolvimento de projetos defendidos pelo lobista, seus esforços para os expor e as reuniões, audiências e os encontros em que efetivamente trataram do assunto – oralmente ou por escrito.

Toda essa transparência e revelação produz informações à disposição dos órgãos de controle do *lobby*, mas também de toda a sociedade civil, ou seja, de jornalistas, dos eleitores, dos outros lobistas, dos políticos entrantes que desejam desafiar políticos tradicionais etc.

Todo esse aparato de integridade, que cumula regras de financiamento de campanha com regras e mais regras sobre o exercício do *lobby* pós-eleitoral, torna inviável a atuação sombria do crime organizado, mas é plenamente compatível com a atuação da *Corporate America*, sobretudo esteada na ideia de que o lucro é bom, é justo e é belo.

Não nos enganemos, a montanha de regras e de procedimentos, toda a transparência, não afastam os brutos fatos que assolam as democracias capitalistas no mundo todo:

1. Os interesses do capital comovem os políticos mais do que o voto do eleitor comum.

2. Os candidatos, na sua maioria, trocam contribuições de campanha hoje por "favores" depois da eleição.

3. A racionalização e a disciplina do financiamento de campanha e do *lobby* pós-eleitoral promovem transparência e descriminalizam a política, aproximam a sociedade civil do Estado, ainda que promovam mais e melhor os interesses empresariais do que os não empresariais.

4. A racionalização e a disciplina do financiamento de campanha e do *lobby* pós-eleitoral promovem também o expurgo do crime organizado dos sistemas políticos, para privar as pessoas do flagelo da infiltração criminosa no Estado.

5. Tivéssemos no Brasil um modelo de disciplina jurídica da política parecido com o imperfeito modelo americano, boa parte do que se considerou crime no curso da Operação Lava Jato seria decorrência natural dos meandros da democracia numa nação de dimensões continentais.

O que chamamos de corrupção, ao menos em boa medida, é uma tentativa, eficiente mas desorganizada, do capitalismo nacional de promover para si o monopólio dos acessos ao poder institucionalizado.

É diferente do que se passa, por exemplo, nos EUA, porque aqui o capital não se submeteu às regras e aos procedimentos estabelecidos, a um jogo político pleno de critérios de legalidade, ainda que de questionável moralidade.

O roto regramento do financiamento de campanha e a indisciplina do *lobby* pós-eleitoral no Brasil nos expõem a toda sorte de vulnerabilidades, mas, sobretudo, à indistinta criminalização das relações entre Estado e empresa, à infiltração do crime organizado nos governos e nas estruturas perenes de Estado e às graves instabilidades provocadas pela internacionalização do combate à corrupção.

O combate à corrupção foi internacionalizado, como o leitor verá a seguir, pelos EUA, uma potência hegemônica que controla a corrupção mais pela determinação de seu conceito legal do que por seu combate, como instrumento de guerra comercial, como uma vantagem concorrencial da disputa entre as nações e os seus capitalistas.

HONESTIDADE PARA TODOS

Eu fui, por um breve semestre, aluno de Ronald Dworkin, o influente filósofo norte-americano, morto no começo de 2013. Aprendi com ele a importância das ideias. Das ideias que transformam, mas, sobretudo, das ideias que justificam.

Ele era, sob o ponto de vista de sua Filosofia Moral, um universalista, ou objetivista, como preferem alguns. E isso significa que todo o seu trabalho foi permeado pela ideia de uma moral universal, válida para todos, em todos os lugares.

Muita gente leu os seus *best-sellers*, a exemplo de *Taking Rights Seriously*, *A Matter of Principle* e *Law's Empire*. Mas pouca gente deu atenção para um pequeno texto, *Objectivity and Truth: You'd better believe it*, que permite bem compreender a sua provável inspiração, para coser uma teoria da interpretação, no pensamento de Hermann Cohen, o gênio neokantiano da Escola de Marburgo. Uma inspiração que se esteia na vontade de ambos os filósofos de propor um pensamento moral hegemônico, que responde à questão metaética por meio do universalismo e que revela o conteúdo da ética pela aplicação do Direito.

É claro que, sob a dinâmica do balanço de poderes entre as nações, a moral das potências hegemônicas, aquela revelada no curso dos fluxos civilizatórios por elas liderado, insere-se na vanguarda do movimento de revelação do conteúdo da moral, uma moral, repito, objetiva, universal, que nos vincula a todos, onde quer que estejamos.

O pensamento filosófico do império se desdobra, desse modo, como um elemento de dominação. É esse o pensamento que se injeta na legislação norte-americana de combate à corrupção.

Uma legislação que se desdobra sobre o mundo, que estende os seus tentáculos, justificada pela proposição imbatível de que a corrupção é um mal, e de que o seu expurgo é um dever.

Uma legislação imposta por enorme pressão sobre as nações amigas – ou a quem queira fazer negócios com a maior economia do mundo –, mas que pragmaticamente traveste uma estratégia poderosa, no contexto de uma guerra comercial. Uma estratégia pela prevalência de interesses norte-americanos.

Uma estratégia que esgarça o conceito legal de corrupção – tarefa fácil no seio de nações desorganizadas, onde planejar é pecado –, para que a corrupção se aproprie de todas as ações do Estado – do Estado dos outros – em prol do seu próprio capitalismo. É uma técnica de contaminação, que corrompe – que classifica como corrupta – toda a assistência do Estado ao capital, exceto aquela que o Tio Sam provê aos seus próprios capitalistas, os cavaleiros da nação.

Bem fazem eles...

É precisamente o que eu quero dizer quando afirmo que os EUA controlam a corrupção mais pela determinação de seu conceito legal do que por seu combate.

O alinhamento estatal às necessidades do capitalismo alcança, nos EUA, o seu ponto máximo. Mas isso se dá debaixo de procedimentos e de regras. A disciplina do financiamento de campanhas eleitorais e do *lobby* pós-eleitoral naquele país varrem, lavam e adstringem todas as imundices das relações de vassalagem do Estado em favor do capital.

É tudo de acordo com a lei!

E, assim, o que se diz corrupção em qualquer lugar do mundo – onde falta organização e engenho ao capital –, lá, nos EUA, é a mais legítima expressão dos processos democráticos.

É por isso, e só por isso, que os EUA podem exportar lição de moral.

Uma exportação sofisticada, que começou acanhada, em princípio aplicável apenas às empresas americanas que pagassem propina a agentes públicos de outros países, em troca de benefícios. Mas que se traduziu, com o tempo, num imperativo moral a todas as nações civilizadas.

A *Foreign Corrupt Practices Act* – algo como a Lei de Práticas de Corrupção no Estrangeiro –, mundialmente conhecida como FCPA, foi promulgada em 1977. Esteava-se, em princípio, em normas de transparência, impostas pelas leis que disciplinam a emissão e oferta pública de valores mobiliários nos EUA, bem como em regras que tratavam do pagamento, por empresas americanas, de propina a agentes públicos estrangeiros.

A FCPA sujeitou-se, todavia, a inúmeras alterações ao longo do tempo, e continua sob ampla e progressiva revisão do Congresso, com o que se projetou a obstaculizar o investimento de empresas americanas em países – e nas empresas desses países –, que não se conformem a elevados padrões de integridade.

Deflagrou uma drástica expansão da soberania norte-americana.

Os EUA se afirmaram como a polícia anticorrupção do planeta, na medida em que a FCPA se aplica a qualquer pessoa que se relacione, observadas determinadas condições, com o país e que se engaje na prática de condutas consideradas corrupção no exterior. Ou seja, basta que entretenha algum nível de relação com a maior potência econômica do mundo e que pratique condutas insertas no amplíssimo conceito de corrupção da lei, para que a FCPA se aplique e, com ela, as duras consequências legais que impõe, inclusive penas restritivas de liberdade. Mas não apenas elas, como também graves penas de natureza patrimonial, em especial às empresas estrangeiras com negócios nos EUA, ou que naquele país emitam, ofertem, desejem ofertar ou negociem seus valores mobiliários.

Os atos de corrupção – aqueles atos considerados corruptos pela FCPA – não cobrem apenas os pagamentos a agentes públicos estrangeiros, candidatos a cargos eletivos e partidos políticos de outras nações, mas também pagamentos a quaisquer pessoas, com o fim de influenciar agentes públicos, candidatos ou partidos.

É o banimento do *lobby*, na casa dos outros, pelo país do *lobby*.

Simplesmente genial!

Incrível! Ainda mais incrível que o Congresso norte-americano tenha discutido abertamente, ao menos nos primeiros momentos que antecederam a promulgação da lei, os efeitos adversos da FCPA para a balança comercial do país, especialmente para desencorajar investimentos americanos em países onde a corrupção é disseminada e condiciona o curso regular de todos os negócios.

Eles queriam tudo! O melhor de dois mundos!

Queriam impedir que os capitalistas de cada nação pagassem pelos favores de seus agentes públicos e, ao mesmo tempo, nos casos em que não fosse possível encarcerar essa gente deplorável – para o bem da prevalência de interesses dos EUA –, também queriam pagar por benesses.

Mas voltemos por um minuto para onde tudo começou. Prometo, uma pequena digressão será útil para demonstrar plenamente as causas dessa campanha mundial pela honestidade nos negócios.

A *Securities and Exchange Comission* (SEC), a Comissão de Valores Mobiliários deles, concluiu, em meados dos anos 1970, uma investigação que revelou que mais de quatrocentas empresas norte-americanas haviam pagado aproximadamente US$300 milhões a agentes públicos, políticos e partidos políticos de outros países. E o fizeram em troca de benefícios, que as ajudaram a avançar os seus negócios nesses países, sob a ideia de que era, nesses lugares indômitos (quase selvagens), indispensável azeitar a máquina.

Causou comoção o escândalo de corrupção que envolveu a *Lockheed*, e os pagamentos que realizou em inúmeros países para vender mais e melhor seus produtos, bem como o chamado *Bananagate*, cujo epicentro foram pagamentos feitos pela *Chiquita Brands* ao presidente de Honduras, em troca de políticas públicas que a favorecessem.

A FCPA responde precisamente a essas descobertas, a esse "tormento" pelo qual passavam as empresas do país, forçadas a pagar propina mundo afora. A lei promulgada por Jimmy Carter (a FCPA) seria alterada pela *Omnibus Trade and Competitiveness Act* de 1988.

Toda a vez que a palavra *omnibus* é empregada pelo legislativo norte-americano para designar uma lei, isso significa que aquele ato legislativo contém vários diplomas legais e emendas à legislação vigente, todos conectados em razão do objeto, ou seja, de um tema comum.

Pois bem, a *Omnibus Trade and Competitiveness Act* introduziu, não por acaso no bojo de medidas sobre a competitividade das empresas do país, uma emenda à FCPA, para criar critérios de materialidade ainda mais amplos, em verdade para prover ao aplicador da norma, ao intérprete-judicante, ou *enforcer*, como preferem por lá, presunções legais da conduta proscrita. E o fez por meio de dois conceitos legais muito importantes, o de *conscious disregard* - algo como negligência consciente, cujo conceito se aproxima de nosso dolo eventual - e o de *willful blindness* - ou cegueira deliberada.

Aquele que conhecia o provável resultado danoso de um ato ilícito e deixou de agir para o impedir presume-se culpado, assim como aquele que, a despeito dos poderes de vigilância que a sua posição lhe provê - a exemplo do controlador ou do administrador de uma empresa em relação aos seus negócios -, prefere olhar para outro lado, de modo a evitar a detecção de um ilícito.

São presunções legais de conhecimento e mesmo de participação, cuja finalidade é facilitar a detecção de atos de corrupção, mas, sobretudo, a de delegar a detecção, em grande medida, aos particulares. Ambas as presunções impõem, por meio de uma drástica extensão da culpabilidade, amplíssimos padrões de integridade e de vigilância às empresas.

Quem não quiser ser preso por negligência consciente ou cegueira deliberada - ou a empresa que não quiser esfacelar a sua reputação e dar cabo da capacidade de fazer negócios em meio a um escândalo de corrupção

– deverá provar que se desincumbiu – materialmente, e não apenas no papel – da tarefa de vigiar todos os seus negócios, que o fez para impedir que a empresa praticasse, por seu controlador, seus administradores, prepostos ou empregados, quaisquer atos de corrupção.

É o primeiro – e revolucionário – movimento de privatização do combate à corrupção, um movimento que seria chamado genericamente de *compliance*. Um movimento que consiste na transferência parcial, mas substantiva, de competências e de deveres estatais no combate à corrupção, por meio da edificação forçada, escorada em ameaças, de estruturas empresariais.

A segunda modificação imposta à FCPA se deu em 1998, por meio da *International Anti-Bribery Act* – Lei Anticorrupção Internacional –, cuja finalidade era receber os influxos da *OECD Anti-Bribery Convention* – isto é, a Convenção Anticorrupção da Organização para a Cooperação e Desenvolvimento Econômico (OCDE) –, já no contexto de um movimento de expansão mundial dos efeitos vinculantes da FCPA.

Os EUA tratavam de impedir que as empresas de quaisquer outros países membros da OCDE se valessem da vantagem competitiva de corromper seus agentes públicos, enquanto empresas americanas, mais eficientes – ampla e legalmente amparadas pelo Estado, sob as leis de *lobby* norte-americanas –, encontravam-se de mãos atadas. Agora não apenas as pessoas que se relacionassem com os EUA, mas também com países membros da OCDE, estariam submetidas à FCPA.

Imagine o leitor as macroempresas transnacionais norte-americanas, amplamente beneficiadas pelo Estado, em vista da infiltração legal que lhe propiciaram as leis do *lobby* naquele país, agora em competição franca com empresas de outros países, onde a ausência de adequada regulação do *lobby* as expôs à criminalização de qualquer relação com seus Estados nacionais.

Imagine que essas empresas, que agora competiam de igual para igual com os colossos empresariais norte-americanos, já se relacionavam com os EUA ou com algum país membro da OCDE. Sujeitaram-se, portanto, do dia para a noite, a investigações, a denúncias destruidoras, sob o pressuposto de que, sim, sempre entretiveram relações com agentes de Estado, para deles obter atos de ofício, benesses das mais diversas, como soe fazer o capital, que não prescinde do Estado.

A legislação anticorrupção que se mundializou, a partir da matriz norte-americana, consolidou-se – voluntária ou inadvertidamente, e concedo que tenha sido inadvertidamente apenas em benefício da dúvida – como um magnífico instrumento de guerra comercial, para institucionalizar as desigualdades empresariais entre países desenvolvidos e países em vias de desenvolvimento.

A cxportação do paradigma norte-americano de honestidade se transmudou quase que em proibição de Estados nacionais de favorecer suas próprias empresas. Um movimento – de exportação da honestidade empresarial – respaldado pela ideia de que nenhuma empresa deverá mover as pesadas engrenagens do Estado em seu favor, pelo que o Estado deve servir o povo e apenas ele.

É lindo, um lindo sonho democrático que também me vem nas noites mais felizes. Mas pela manhã, ao acordar, eu me lembro de que as potências hegemônicas não se demoverão de atuar por suas empresas, suas magníficas máquinas de trocas desiguais e de concentração de riquezas. Pela manhã eu me lembro de que enquanto formos um país que funciona sob o regime de produção capitalista, o melhor é que o nosso Estado sirva as nossas empresas, sob o risco de que, muito pior do que isso, venha a servir as empresas dos outros.

Não é à toa que, nesses dias, um mau humor irreversível toma conta de mim.

J'ACCUSE

"Eu acuso".

Foi esse o título do artigo – em verdade uma carta aberta, endereçada ao presidente da República –, que Zola fez publicar no jornal *L'Aurore*, em 13 de janeiro de 1898, três dias depois que Charles Esterhazy foi inocentado pelo Conselho de Guerra, o que fez esvair, ao menos naquele momento, toda a esperança na revisão da pena de prisão perpétua, na Ilha do Diabo, a que fora condenado o oficial do exército francês, e judeu, Alfred Dreyfus.

Esterhazy era o verdadeiro traidor, que informava – ou melhor, vendia – aos alemães segredos militares franceses. Dreyfus era apenas vítima do crescente antissemitismo europeu, que culminaria, algumas décadas depois, na Segunda Guerra Mundial, com o massacre de mais de 6 milhões de judeus e com a devastação sem precedentes da maior parte da Europa.

O grande escritor naturalista francês Émile Zola, em sua carta aberta, acusou e atacou nominalmente oficiais, generais e peritos, por uma campanha de demolição moral, que desnaturava um processo judicial ao ponto de se transmudar em fraude judicial consequencialista, ou seja, em não mais do que uma técnica de justificação da condenação de Dreyfus: a condenação convencionada de um inocente, para a qual o processo era apenas um instrumento capaz de travestir decisões políticas em decisões técnico-jurídicas.

O expediente, portanto, não é novidade.

A novidade é a culpa. Sim, a novidade, com a qual nos deparamos no âmbito do recente combate brasileiro à corrupção – o *bancorrupt* –, de que trato neste livro, é a sofisticação exponencial da instrumentalização política do processo e do Direito, pela determinação subjetiva da conduta criminosa e, portanto, do conceito de culpa.

É como se o alto-comando do exército francês não tivesse que fabricar provas contra Dreyfus, como se os estudos grafotécnicos não tivessem que ser fraudados – como foram, para indicar a toda a prova a sua culpa –, mas, ao invés disso, pudesse manejar o conceito de traição para que esse conceito alcançasse algo que Dreyfus fez ou que era.

Algo parecido com o que escancaradamente fariam os nazistas, anos depois. Culpado por ser judeu, Dreyfus –

que na verdade morreu aos 75 anos, em 1935, depois de lutar pela França na Primeira Guerra Mundial e de receber a *Légion d'honneur* - seria indefensável na Alemanha nazista - se ela também o tivesse vitimado -, seria condenado à morte nos campos de concentração.

A diferença - que não é pequena - é que o combate à corrupção se tornou um axioma ético, como deve ser, o que torna muito, muito mais difícil conter a sua politização e, com ela, a politização do Direito, para os fins do combate à corrupção.

Aqui, o advento das Leis de Organização Criminosa e Anticorrupção, em 2013, como resultado da pressão internacional a que me referi no capítulo anterior, trouxe mecanismos de detecção de condutas que, antes, não estavam à disposição da Polícia e do Ministério Público.

Nós descobrimos, como já disse, municiados desses novos instrumentos de detecção de ilícitos, em suma, do acoplamento das prisões cautelares às colaborações premiadas - em meio aos grampos telefônicos, à quebra de sigilo telemático e às ações controladas -, tudo o que já sabíamos dos nossos capitalistas e dos nossos políticos.

Descobrimos que muitos deles, alguns dos mais importantes, pagavam agentes públicos, ou seja, administradores de estatais, parlamentares, prefeitos, governadores e presidentes, para deles obter facilidades, atos do Estado em seu benefício e em benefício das empresas que controlavam ou administravam.

Descobrimos que essas empresas, algumas delas, financiavam as campanhas eleitorais: milhões e milhões de reais foram pagos oficiosamente para financiar campanhas eleitorais.

Descobrimos departamentos empresariais inteiros dedicados a corromper.

Descobrimos contratos superfaturados, em desfavor do erário, celebrados para beneficiar empresas, mas também para lhes prover recursos para financiar campanhas eleitorais, numa espécie de financiamento público - sob gestão privada - da política nacional.

Descobrimos que os políticos a quem confiamos os mandatos, não todos, mas muitos deles, só funcionavam mediante paga.

Na falta de um regramento adequado de financiamento de campanhas eleitorais e do *lobby*, o que sempre se fez, o que sempre se soube e o que sempre foi tolerado por aqui, diante das provas, foi imediatamente criminalizado, tanto mais criminalizado sob a determinação subjetiva e subjetivamente esgarçada de crime.

Sim, esgarçamento subjetivo do crime, porque o resultado prático de toda essa tramoia seria significativamente o mesmo se, aqui, como em outras democracias continentais organizadas, os agentes públicos, em especial parlamentares e chefes do Executivo, e os partidos fossem financiados por empresas, empresas que ao fim também seriam por eles beneficiadas com recursos e inciativas públicas.

Se aqui tudo isso fosse lícito - tudo isso, ou boa parte do que vimos políticos e empresários fazerem, e que continuarão a fazer, fosse lícito -, o resultado prático seria inexoravelmente o mesmo: a submissão do Estado ao capital. O mesmo resultado, perdoem-me lembrar, que se observa nos lugares onde tudo isso é lícito.

O problema não é a corrupção em si, mas o fato de que a corrupção - essa corrupção do Estado pelo capital - é um fenômeno ínsito ao capitalismo, dele indissociável, cujos remédios são dois e apenas dois, a descriminalização - mediante regulação formal - ou o fim do capitalismo.

Façam a sua escolha!

Se não a fizermos, só restará à Polícia investigar e prender, ao Ministério Público acusar, e ao Judiciário julgar e condenar. E tudo isso num círculo vicioso interminável e destruidor - por vezes politicamente determinado -, que fará terra arrasada das nossas empresas, da nossa política e de todo o tecido social.

Pior, determinará, entre nós, como já parece ter determinado, um desequilíbrio assustador, uma reversão das relações idealmente horizontais entre Direito e Política, para que a Política domine o Direito e o amestre, como sua besta de estimação, para punir os amigos e desgraçar os inimigos.

Não lhes parece estranho - estranho para dizer o mínimo - que metade do país aplauda a revelação, por um juiz de primeiro grau, de um grampo telefônico entre, hoje, dois ex-presidentes da República, porque esse vazamento foi crucial para nos privar de um grupo político que castigava o país por sua incompetência e desonestidade? E isso enquanto a outra metade acredita que a revelação do áudio foi movimento calculado e central para o sucesso de um golpe de Estado, para afastar um grupo político que primava pela distribuição de renda, pelo desenvolvimento econômico, político e social soberanos no Brasil.

Quem quer que tenha razão, ainda que a razão seja bem escasso neste nosso país, o certo é que a revelação da conversa nada tem de jurídico. É prova cabal de uma politização intolerável do Direito, que desbordou os limites do reversível.

Amanhã, caro leitor, será com você. Prepare-se!

POR UMA POLÍTICA NACIONAL DE COMBATE À CORRUPÇÃO

Estou convicto de que é urgente o aprimoramento do combate à corrupção, para superarmos o *bancorrupt*, e todas as suas mazelas destrutivas, sobre as quais tratei ao longo deste livro.

Esse aprimoramento decorre da adoção de medidas de três ordens distintas:

Primeira. Uma ampla reforma do modelo de financiamento de campanhas eleitorais, para:

a. permitir que todos os grupos da sociedade civil possam influenciar os desígnios da nação, de modo igualitário, como mecanismos de freios e de contrapesos;

b. mitigar a influência do poder econômico, para que o dinheiro das grandes empresas – ou de seus controladores, na hipótese em que se mantenha um modelo de vedação às doações de pessoa jurídica de direito privado – não lhes garanta primazia sobre os interesses do cidadão comum;

c. adotar um modelo de financiamento mediado, no caso de readmissão das doações de pessoa jurídica de direito privado, por meio de entidades setoriais privadas financiadoras – jamais por meio de doações empresariais diretas –, submetidas a limites e a critérios estritos de governança – para garantir que os seus membros mais abastados não determinem exclusivamente o destino das doações –, bem como de ampla transparência e revelação;

d. registrar e monitorar os profissionais do *lobby*, submetendo-os a um regime jurídico de ampla transparência e revelação;

e. submeter os candidatos a regime de ampla transparência e revelação, ao longo da campanha, assim como depois de eleitos;

f. adotar critérios de doação com base em condições de elegibilidade – capacidade de ser eleito; e

g. submeter os partidos e os candidatos a critérios de elegibilidade para a utilização dos fundos públicos de financiamento.

Segunda. A concepção e promulgação de uma lei que discipline o *lobby* pós-eleitoral, em especial as chamadas Frentes Parlamentares, com vistas a:

a. regrar o reconhecimento, a atuação, a organização e o financiamento das Frentes Parlamentares;

b. articular esse regramento ao regimento interno da casa – Câmara dos Deputados ou Senado – onde a Frente Parlamentar for constituída;

c. garantir que as Frentes Parlamentares funcionem exclusivamente para avançar a inovação e o aperfeiçoamento de institutos e instrumentos jurídicos, em face da realidade brasileira e dos problemas nacionais;

d. zelar para que sejam organizações suprapartidárias, sem fins lucrativos;

e. obrigá-las a se registrar, a despeito de despersonalizadas, na Receita Federal, que lhes atribuirá número no Cadastro Nacional de Pessoas Jurídicas – CNPJ – para fins de cumprimento das responsabilidades fiscais;

f. atribuir aos líderes das Frentes Parlamentares a condição de seus responsáveis perante a Receita Federal;

g. permitir que representem interesses de qualquer natureza, até mesmo econômicos, desde que lícitos;

h. regular a criação e o encerramento das Frentes Parlamentares;

i. disciplinar o seu financiamento, zelando para que:

1. seja vedado o emprego de recursos públicos;

2. seja financiada por pessoas físicas e por entidades setoriais financiadoras;

3. os financiadores observem determinadas regras, por exemplo:

(i) não ter sido condenados, nos cinco anos antecedentes à contribuição, em decisão final, no âmbito administrativo ou judicial, por ilícitos previstos na legislação criminal, bem como, independentemente de sua natureza, nas Leis nº 8429/92, 8666/93, 9613/98 e 12.846/13 (ou seja, as Leis de Improbidade Administrativa, Licitações, Lavagem de Dinheiro e Anticorrupção, respectivamente);

(ii) sujeitar-se a limites de contribuição;

(iii) prestar contas à presidência da Casa do Congresso Nacional onde foi instituída a Frente Parlamentar à qual tiver feito contribuições;

(iv) submeter as entidades setoriais financiadoras a determinados critérios de governança, como, por exemplo:

(iv.1) não ter fins lucrativos e ser constituída na forma de sociedade ou de associação;

(iv.2) ter objeto lícito;

(iv.3) ser constituída ao menos 36 meses antes de prestar quaisquer contribuições a uma Frente Parlamentar;

(iv.4) ser composta por ao menos sete membros, pessoas físicas – que não poderão entreter relações de parentesco entre si – ou jurídicas – que não poderão entreter relações de controle, coligação ou de mera participação entre si –, com direito a apenas um voto nas deliberações tomadas em reuniões de sócios ou de associados;

(iv.5) ter objeto compatível com as Frentes Parlamentares que financiam;

(iv.6) não ter, entre seus membros, quaisquer parlamentares componentes das Frentes Parlamentares às quais contribuem, ou membros que com esses parlamentares entretenham relações de parentesco, societárias ou contratuais;

(iv.7) criar um Fundo de Contribuição Parlamentar, composto por doações em dinheiro, realizadas exclusivamente por seus membros, sujeitas a limitações e administradas por um Comitê de Contribuição Parlamentar, com competência para indicar a Frente Parlamentar à qual a entidade setorial financiadora contribuirá, bem como para definir o valor da Contribuição Parlamentar para cada Frente Parlamentar, bem como zelar para que a contribuição se realize em conformidade com a lei.

Terceira. A criação de uma autarquia, isto é, uma pessoa jurídica de direito público de capacidade exclusivamente administrativa, com patrimônio e receita – advinda dos recursos pagos em reparação do erário por danos decorrentes de atos de corrupção –, que congregue partícipes de todos os órgãos de Estado componentes do aparato estatal de controle,[19] cuja finalidade seja:

a. planejar uma política nacional de combate à corrupção, de modo a propor diretrizes, aprimorar leis e a colocar em discussão pública prévia a sua própria regulação;

b. criar uma regulação nacional do combate à corrupção, sempre compassada com a legislação aplicável, para, por exemplo:

1. especificar as condições e os procedimentos para a celebração dos acordos de leniência e regular, de modo geral, a Lei Anticorrupção;

2. determinar métodos de pagamento de indenização e multa compatíveis com os interesses de abertura e de revitalização de mercados;

3. determinar a gestão e a disposição de bens apreendidos no processo penal e nas ações de improbidade administrativa;

4. coibir fraudes em contratos administrativos, em observância às suas diversas especialidades;

5. tratar da disciplina da informação sobre empresas investigadas, processadas e condenadas;

6. detectar e combater a lavagem de dinheiro em cooperação com o COAF – o Conselho de Controle de Atividades Financeiras;

7. combater a corrupção privada;

c. funcionar como "guichê único" para a celebração de acordos de leniência, por meio de um Comitê de Leniência, onde terão assento o Ministério Público Federal, a Controladoria-Geral da União, a Advocacia-Geral da União, o Tribunal de Contas da União, a Comissão de Valores Mobiliários, o Banco Central do Brasil e o Conselho Administrativo de Defesa Econômica.

Essa autarquia deverá, em qualquer hipótese, respeitar as competências de todos os órgãos de controle estatal existentes, assim como evitar a sobreposição de atribuições. Mas deverá nascer como a casa em que esses órgãos de controle harmonizarão seus entendimentos e as suas posturas.

A bem da verdade, penso que para esse passo importante bastará atribuir condição de autarquia, sob modificações regulatórias precisamente concebidas, à ENCCLA.

A ENCCLA, abreviação de Estratégia Nacional de Combate à Corrupção e à Lavagem de Dinheiro, é, desde 2003, a principal rede de articulação à discussão conjunta de órgão dos poderes Executivo, Legislativo e Judiciário, sobre a formulação de políticas públicas relativas ao combate à corrupção e à lavagem de dinheiro.

Muita coisa boa já se produziu por lá. Mas o problema é que a ENCCLA é muito mais um foro de debates, um lugar de encontro, uma promotora de reflexões e de esforços reflexivos conjuntos, uma entidade de aconselhamento.

A sua importante produção sobre o combate à corrupção é, portanto, recebida pelos diversos órgãos que da ENCCLA participam apenas como recomendações, como balizados estudos e reflexões de consenso, que poderão ser ou não ser adotadas, transformados em normas postas, seja pelo legislador seja pelo regulador.

Hoje a ENCCLA é coordenada pelo Ministério da Justiça, e congrega quase noventa órgãos dos três Poderes, além do Ministério Público e de membros da sociedade civil.[20]

A ENCCLA se organiza por uma estrutura que pressupõe uma plenária, ou seja, um órgão decisório, onde são debatidas e deliberadas as propostas e as recomendações. Conta também com um Gabinete de Gestão Integrada (GGI) que, articulado a uma Secretaria Executiva, administra o seu funcionamento, para organizar Grupos de Trabalho Anual, para além de Grupos de Trabalho de Combate à Corrupção e de Combate à Lavagem de Dinheiro.

Bastará uma lei capaz de alçá-la à condição de autarquia, que lhe atribua patrimônio e renda, bem como modificações cirúrgicas, para que, sob algum engenho, consigamos ultrapassar os desencontros e as idiossincrasias do *bancorrupt*, assim como os seus graves efeitos colaterais adversos. Ou pelo menos aqueles pelos quais respondem diretamente os órgãos de controle estatal e de combate à corrupção.

As duas primeiras medidas, que tratam diretamente de uma reforma política importante e corajosa, são indispensáveis para que um combate puramente repressivo se perca, com se tem correntemente perdido, diante de uma "fábrica de corrupção" a pleno vapor, que pouco se intimida com a punição e que se sofistica a cada dia.

Uma "fábrica de corrupção", que somada a um combate incapaz de alvejar de morte as causas da corrupção e de desmantelar a fábrica, poderá destruir o Brasil, ao comprometer suas instituições mais importantes.

CIRCUS

A corrupção e o seu combate não são obra de ficção, ainda que os últimos anos tenham colado nossos olhos nos televisores, nas telas de computador e nas páginas de jornais e de revistas.

Estamos sempre à espera do próximo escândalo, sob a memória esmaecida do ciclo perverso e interminável de escândalos em que nos metemos, desde a última refundação republicana, com o fim da Ditadura Militar.

Estou certo de que de muitos deles o leitor já não se lembra mais.

O Escândalo Coroa Brastel (1982), o Caso Brasilinvest (1985), a CPI da Corrupção (1988), o Escândalo de Mombaça (1989), o Esquema PC Farias (1992), o Escândalo dos Anões do Orçamento (1996), a CPI dos Precatórios (1997), a CPI do Banestado (2003), a Operação Anaconda (2003), a Operação Praga do Egito (2003), o Escândalo dos Correios (2005), o Mensalão (2005), o Escândalo do IRB (2005), o Esquema de desvio de verbas no BNDES (2008), a Operação Sexta-feira 13 (2009), a Operação Mãos Limpas (2010) [sim, nós também tivemos a nossa], a Operação Lava Jato (2014), a Operação Zelotes (2015), a Operação Greenfield (2016), a Operação Calicute (2016), o Escândalo das Tornozeleiras Eletrônicas (2017) [até nisso!], a Operação Leviatã (2017) etc.

Mas não foi diferente durante a Ditadura Militar, ainda que a ausência de uma imprescindível liberdade de imprensa não nos permita conhecer, hoje, para além das gravíssimas violações de direitos fundamentais, todos os escândalos de corrupção desse momento muito particular.

A história escrita desse período obscuro não nos permite esquecer – ainda que sejamos dados ao esquecimento –, contudo, do Caso Magnesita (1972), do Caso Halles (1974), das Mordomias do Governo Geisel (1976), do Caso General Eletric (1976), do Caso Lutfalla (1977), do Caso Paulipetro (1979).

Uma boa pesquisa nos livros de história do Brasil me levaria a consumir centenas de páginas, devastar florestas inteiras, até que chegasse à liquidação do primeiro Banco do Brasil, por Dom João VI, ou muito antes disso, à pilhagem de nossas reservas de ouro, de prata e de pedras preciosas, no curso dos primeiros atos de espoliação a que este país exuberante e tão vilipendiado se submeteu.

É compreensível que o leitor, que as brasileiras e brasileiros de bem, tenham – diante de tudo isso, desse mar de excremento que invade, fétido e pestilento, as nossas casas, a nossa vida e tudo o que nos rodeia – guardado um grito de revolta, confinado em gargantas reprimidas, acanhadas por uma história de impunidade que parecia irremediável.

É mais do que compreensível que esse grito se tenha libertado convulsivamente, quando – diante de nossos olhos incrédulos –, como miragem no deserto, acompanhamos a série espetacular de prisões, de buscas e apreensões, de confissões e de provas contra gente grã-fina e importante, muito importante deste país.

O espetáculo da corrupção e do seu combate, que nos surpreendeu por sua virilidade e por seu êxito punitivo inusitados, foi um chamado à liberação da nossa justificada revolta, do nosso desejo de vingança, de retribuição.

Mas o Estado não serve, não pode servir à vingança. As estratégias de Estado não podem – diante dos inevitáveis revezes que esse proceder determina – submeter-se ao domínio das emoções, em desprezo ao cálculo e às consequências. E isso, tanto mais, quando os efeitos colaterais adversos das ações estatais são perfeitamente evitáveis, por meio do planejamento e da ação coordenada dos agentes, dos órgãos e dos poderes do Estado.

Quando critico a Lava Jato, não critico, repito, mais uma vez e sempre, as mulheres e os homens de bravura e de espírito público, que na Polícia, no Ministério Público, no Judiciário, nos tantos órgãos de controle do Estado, atuaram para assombrar o país numa virada de jogo espetacular, mas de êxito incompleto e francamente reversível. Eu o faço para criticar o Estado brasileiro, a sua desarticulação, uma desarticulação confessa, que não precisa e que não deve ser aceita pelo povo, para o qual não existem repartições, autarquias, ministérios, órgãos, o Executivo, o Legislativo e o Judiciário, senão um único Estado, que não pode errar em prejuízo do povo.

Eu critico, e me explico no curso deste livro, o desnecessário desmantelamento das empresas e de setores inteiros da economia, a demonização da política, a ameaça às instituições, o esgarçamento do tecido social, a polarização do país – que decorre em grande medida da politização do Direito – e a inação diante de uma indispensável reforma política, condição fundamental à destruição da "fábrica de corrupção".

Eu critico o espetáculo da corrupção e de seu combate como aqui se faz – o *bancorrupt* –, de um combate que não mede consequências e que não acaba com a corrupção, mas a agrava, um combate que a fortalece – porque não fere de morte as suas causas e abre espaço para que se sofistique e fortaleça –, enquanto vulnera conquistas preciosas, ainda que atabalhoadamente conquistadas, em meio a negação de tudo.

Este livro é a peça acusatória de um combate incompleto, inconsequente e espetacular à corrupção, que pode e dever ser aperfeiçoado.

É uma ameaça de morte à corrupção, porque é uma apologia à melhora e ao desenvolvimento, sob a humilde certeza de que, confrontado com suas razões, o leitor irá aplaudir ou detrair, enquanto reflete.

E a reflexão é o remédio para as certezas, é a semente de toda a dúvida prolífica, que faz brotar a tolerância, alicerce primeiro da democracia, da solidariedade e da superação.

NOTAS

[1] Em verdade, o âmbito da proscrição é ainda mais amplo, para se estender a todas as pessoas jurídicas de direito privado.

[2] O ministro do Supremo Tribunal Federal Luiz Fux disse achar ser possível se "repensar" a proibição de financiamento de campanhas eleitorais por parte de empresas privadas, desde que o façam de acordo com a sua "ideologia". Cf. Uol Notícias. Disponível em: <https://noticias.uol.com.br/politica/ultimas-noticias/2017/08/17/fux-diz-que-doacao-de-empresas-a-campanhas-poderia-ser-repensada.htm>. Último acesso em 28.8.2018.

[3] O artigo deu fundamento ao voto condutor do ministro José Dias Toffoli no julgamento da Adin 4650. Cf. JORGE WARDE JR., Walfrido. A empresa pluridimensional, *Revista da AASP*, 2008.

[4] Cf. GADELHA, Igor. Parlamentares articulam volta de doação de empresa. *O Estado de S. Paulo*. Disponível em: <http://politica.estadao.com.br/noticias/geral,parlamentares-articulam-volta-de-doacao-de-empresa,10000076824>. Último acesso em 28.8.2018.

[5] Cf., por todos, o artigo que escrevi com o ex-ministro Valdir Simão para o *Valor Econômico*, sob o título "Qual leniência?", disponível em: <http://www.valor.com.br/opiniao/5051888/qual-leniencia>. Último acesso em 28.8.2018.

[6] Tudo o que antevimos, eu, Gilberto Bercovici e Jose Francisco Siqueira Neto em *Um Plano de Ação para o Salvamento do Projeto Nacional de Infraestrutura*. Contracorrente: São Paulo, 2015.

[7] VEJA. Descubra quais são os 9 políticos ainda presos na Lava Jato. Disponível em: <https://veja.abril.com.br/politica/descubra-quais-sao-os-9-politicos-ainda-presos-na-lava-jato/>. Último acesso em 28.8.2018.

[8] BÄCHTOLD, Felipe; MARIANI, Daniel. Pelo menos 19 réus e 12 acusados na Operação Lava Jato disputam eleição. *Folha S.Paulo*. Disponível em: <https://www1.folha.uol.com.br/poder/2018/09/pelo-menos-19-reus-e-12-acusados-na-operacao-lava-jato-disputam-eleicao.shtml>. Último acesso em 10.9.2018.

[9] ALVARENGA, Darlan. Impacto da Lava Jato no PIB pode passar de R$140 bilhões, diz estudo. *G1 Economia*. Disponível em: <http://g1.globo.com/economia/noticia/2015/08/impacto-da-lava-jato-no-pib-pode-passar-de-r-140-bilhoes-diz-estudo.html>. Último acesso em 28.8.2018.

[10] CARVALHO, Mario Cesar; NUNES, Wálter. Dinheiro recuperado na Operação Lava Jato cai 90%. *Folha de S.Paulo*. Disponível em: <http://

www1.folha.uol.com.br/poder/2018/01/1947642-dinheiro-recuperado-na-operacao-lava-jato-cai-90.shtml>. Último acesso em 28.8.2018.

[11] SCHELLER, Fernando. Em três anos, principais empresas citadas na Lava Jato demitiram quase 600 mil. *Estadão*. Disponível em: <http://economia.estadao.com.br/noticias/geral,em-3-anos-principais-empresas-citadas-na-lava-jato-demitiram-quase-600-mil,70001748171>. Último acesso em 28.8.2018.

[12] MARTELLO, Alexandre. Brasil fecha 20,8 mil postos formais de trabalho em 2017, diz governo. *G1 Economia*. Disponível em: <https://g1.globo.com/economia/noticia/brasil-fecha-208-mil-postos-formais-de-emprego-em-2017.ghtml>. Último acesso em 28.8.2018.

[13] UOL Economia. Petrobras perde R$436,6 bi em valor de mercado desde 2008, diz consultoria. Disponível em: <https://economia.uol.com.br/noticias/redacao/2016/01/19/petrobras-perde-r-4366-bi-em-valor-de-mercado-desde-2008-diz-consultoria.htm>. Último acesso em 28.8.2018.

[14] PAMBLONA, Nicola; BRANT, Danielle; MARTÍ, Silas. Acordo da Petrobras nos EUA não ajuda na disputa judicial no Brasil. *Folha de S.Paulo*. Disponível em: <http://www1.folha.uol.com.br/mercado/2018/01/1947901-acordo-de-us-3-bi-da-petrobras-nos-eua-nao-chegara-a-justica-do-brasil.shtml>. Último acesso em 28.8.2018.

[15] CAOLI, Cristiane; ALVARENGA, Darlan; LAPORTA, Taís. Petrobras tem 1º prejuízo desde 1991; perda com corrupção é de R$6,2 bi. *G1 Economia*. Disponível em: <http://g1.globo.com/economia/negocios/noticia/2015/04/petrobras-divulga-balanco-auditado-com-prejuizo-de-r-216-bi-em-2014.html>. Último acesso em 27.8.2018.

[16] La Torre era membro da Comissão Parlamentar Antimáfia, proponente do que seria, depois de sua morte, a referida Lei Rognoni-La Torre e inflexível denunciante de homens públicos, como Giovanni Gioia, Vito Ciancimino, Salvo Lima e outros, e de suas relações com a Máfia.

[17] Dalla Chiesa foi vice-comandante dos Carabinieri e prefeito de Palermo, nomeado em 1982 especialmente para incrementar o combate contra a Máfia.

[18] Salvatore "Totò" Riina – nascido em 16 de novembro de 1930, na cidade de Corleone, e morto em 17 de novembro de 2017, em Parma – foi um mafioso italiano, cuja campanha de violência contra a adoção de medidas de combate ao crime organizado escalou até o assassinato de membros da Comissão Antimáfia, Giovanni Falcone e Paolo Borsellino, para causar grande comoção e revolta na opinião pública daquele país.

[19] E a minha convicção é tanto maior porque esteada da opinião de caros amigos, a exemplo dos excelentes ex-ministros Valdir Moysés Simão e Fábio Medina Osório, que em nada respondem pelos defeitos deste livro, mas que concordam, ao menos em princípio, com a ideia de uma autarquia

que seja capaz de superar a esquizofrenia estatal que hoje caracteriza o combate à corrupção no Brasil.

[20] Participam da ENCLA, para que o leitor tenha ideia de seu poder de convergência, os seguintes órgãos: 1) Agência Brasileira de Inteligência - ABIN; 2) Associação Nacional dos Delegados de Polícia Federal - ADPF; 3) Advocacia-Geral da União - AGU; 4) Associação dos Juízes Federais do Brasil - AJUFE; 5) Associação dos Magistrados Brasileiros - AMB; 6) Associação dos Membros de Tribunais de Contas do Brasil - ATRICON; 7) Associação Nacional do Ministério Público de Contas - AMPCON; 8) Associação Nacional dos Procuradores dos Estados e do Distrito Federal - ANAPE; 9) Associação Nacional dos Procuradores da República - ANPR; 10) Banco Central do Brasil - BC; 11) Banco do Brasil - BB; 12) Banco Nacional de Desenvolvimento Econômico e Social - BNDES; 13) Conselho Administrativo de Defesa Econômica - CADE; 14) Câmara dos Deputados - CD; 15) Caixa Econômica Federal - CEF; 16) Casa Civil da Presidência da República - CC/PR; 17) Casa Civil do Estado do Rio Grande do Sul - CC/RS; 18) Comissão de Ética Pública da Presidência da República - CEP/PR; 19) Comissão de Valores Mobiliários - CVM. 20) Controladoria-Geral do Distrito Federal - CG-DF; 21) Controladoria-Geral do Estado de Minas Gerais - CGE-MG; 22) Controladoria-Geral do Município de Guarulhos - CGM-GRU; 23) Controladoria-Geral do Município de São Paulo - CGM-SP; 24) Corregedoria-Geral da Administração do Estado de São Paulo - CGA-SP; 25) Conselho da Justiça Federal - CJF; 26) Conselho Nacional de Controle Interno - CONACI; 27) Conselho Nacional dos Chefes de Polícia Civil - CONCPC; 28) Conselho Nacional de Justiça - CNJ; 29) Conselho Nacional do Ministério Público - CNMP; 30) Conselho Nacional dos Procuradores-Gerais do Ministério Público dos Estados e da União - CNPG; 31) Conselho de Controle de Atividades Financeiras - COAF; 32) Conselho Superior da Justiça do Trabalho - CSJT; 33) Departamento de Registro Empresarial e Integração - DREI/SEMPE/MDIC; 34) Federação Brasileira de Bancos - FEBRABAN; 35) Grupo Nacional de Combate à Organizações Criminosas - GNCOC; 36) Gabinete de Segurança Institucional - Presidência da República - GSI/PR; 37) Instituto Nacional do Seguro Social - INSS; 38) Ministério da Defesa - MD; 39) Ministério da Indústria, Comércio Exterior e Serviços - MDIC; 40) Ministério da Justiça - MJ (SNJ, DRCI, Rede-LAB, SENAD); 41) Ministério da Transparência e Controladoria-Geral da União (CGU); 42) Ministério do Planejamento, Desenvolvimento e Gestão (SEGES, STI) - MP; 43) Ministério da Segurança Pública - MSP (SENASP, DEPEN); 44) Ministério Público de Contas do Estado do Rio Grande do Sul - MPC-RS; 45) Ministério Público do Distrito Federal e Territórios - MPDFT; 46) Ministério Público do Estado da Paraíba - MPPB; 47) Ministério Público do Estado de Goiás - MPGO; 48) Ministério

Público do Estado do Maranhão - MPMA; 49) Ministério Público do Estado do Mato Grosso do Sul - MPMS; 50) Ministério Público do Estado do Paraná - MPPR; 51) Ministério Público do Estado de Pernambuco - MPPE; 52) Ministério Público do Estado do Piauí - MPPI; 53) Ministério Público do Estado do Rio de Janeiro - MPRJ; 54) Ministério Público do Estado do Rio Grande do Norte - MPRN; 55) Ministério Público do Estado do Rio Grande do Sul - MPRS; 56) Ministério Público do Estado de Santa Catarina - MPSC; 57) Ministério Público do Estado de São Paulo - MPSP; 58) Ministério Público do Estado de Sergipe - MPSE; 59) Ministério Público Federal - MPF; 60) Ministério Público Militar - MPM; 61) Ministério Público do Trabalho - MPT; 62) Ministério das Relações Exteriores - MRE; 63) Polícia Civil do Distrito Federal - PCDF; 64) Polícia Civil do Estado do Maranhão - PCMA; 65) Polícia Civil do Estado de Minas Gerais - PCMG; 66) Polícia Civil do Estado do Rio de Janeiro - PCRJ; 67) Polícia Civil do Estado do Rio Grande do Sul - PCRS; 68) Polícia Civil do Estado de Santa Catarina - PCSC; 69) Polícia Civil do Estado de São Paulo - PCSP; 70) Polícia Federal - PF; 71) Procuradoria-Geral da Fazenda Nacional - PGFN; 72) Procuradoria-Geral do Distrito Federal - PG-DF; 73) Procuradoria-Geral do Estado da Bahia - PGE-BA; 74) Procuradoria-Geral do Estado de São Paulo - PGE-SP; 75) Procuradoria-Geral do Estado do Rio Grande do Sul - PGE-RS; 76) Procuradoria-Geral do Município de São Paulo - PGM-SP; 77) Rede Nacional de Controle; 78) Secretaria da Receita Federal do Brasil - RFB; 79) Secretaria de Estado de Controle e Transparência do Estado do Espírito Santo - SECONT-ES; 80) Secretaria de Governo da Presidência da República - SEGOV/PR; 81) Secretaria de Previdência do Ministério da Fazenda - SPREV/MF; 82) Senado Federal - SF; 83) Superintendência Nacional de Previdência Complementar - PREVIC; 84) Superintendência de Seguros Privados - SUSEP; 85) Tribunal de Contas da União - TCU; 86) Tribunal de Contas do Estado do Rio Grande do Sul - TCE-RS; 87) Tribunal Superior do Trabalho - TST; 88) Tribunal Superior Eleitoral - TSE.

QUER SABER MAIS SOBRE A LEYA?

Em www.leya.com.br você tem acesso a novidades e conteúdo exclusivo. Visite o site e faça seu cadastro!

A LeYa também está presente em:

facebook.com/leyabrasil

@leyabrasil

instagram.com/editoraleya

skoob.com.br/leya

1ª edição	*Setembro de 2018*
papel de miolo	*Pólen Soft 70g/m²*
papel de capa	*Cartão Supremo 250g/m²*
tipografia	*Minion Pro*
gráfica	*Grafilar*